Für Wolfgang & Nico!

Danke für die wunderschöne Zeit mit EUCH.

Ich habe mich mit + bei EUCH sehr wohlgefühlt.

with Love [Unterschrift]

Mai 2006

D1441604

Andrew Matthews

So geht's dir gut

Mit 70 Illustrationen
des Autors

VAK Verlags GmbH
Kirchzarten bei Freiburg

Titel der Originalausgabe: Being happy!
© 1988 by Andrew Matthews
and Media Masters Pte. Ltd., Singapore
22. Auflage: Juli 1991
ISBN 981-00-0664-0

Bibliografische Information Der Deutschen Bibliothek
Die Deutsche Bibliothek verzeichnet diese Publikation in der
Deutschen Nationalbibliografie; detaillierte bibliografische Daten
sind im Internet über http://dnb.ddb.de abrufbar.

15. Auflage: 2004
© VAK Verlags GmbH, Kirchzarten bei Freiburg 1992
Mit freundlicher Genehmigung von Media Masters Publishers
Illustration und Umschlagbild: Andrew Matthews
Umschlaggestaltung: Hugo Waschkowski
Übersetzung: Michaela Schmidt
Lektorat und Layout: Norbert Gehlen
Druck und Bindung: Media-Print Paderborn
Printed in Germany
ISBN 3-924077-32-0

Danksagung

Einer großen Zahl von Menschen, die mir bei meiner Arbeit und beim Schreiben dieses Buches halfen, habe ich zu danken. Besonderer Dank gebührt ...

... meinen Eltern, Margaret und Peter Matthews, für die Unterstützung, die sie allen meinen Unternehmungen immer zukommen lassen.

... Heather und Jerry Garreffa, Graeme Hoyle, Tereska Kropinski, Jacqueline Fong, Kristina Chionh sowie Julie und Kevin Manning und den vielen anderen Assistenten meiner Seminare.

... Chris Prior für seine Ermutigung und seinen Glauben an dieses Buch von Anbeginn an.

... Mary und Paul Blackburn dafür, daß sie so wundervolle Freunde sind.

... meiner Schwester, Jane Thomas, für ihre Ideen zur Gestaltung dieses Buches.

... Shahreen Kamaluddin von Shahreen Corporate Communications für ihren Rat und ihre Vorschläge.

... Norma und Ian Ward für die Bearbeitung und Veröffentlichung des Buches.

... und Julie, der ich dieses Buch widme, für all ihre Liebe, Unterstützung und Ermutigung, mit denen sie mir dabei hilft, jeden Tag, den wir gemeinsam verbringen, glücklich zu sein.

Inhalt

Kapitel 1: Muster

Vorprogrammierte Muster 10
Selbstbild 18
Gesundheit 27
Schmerz 30
Wir werden Teil unserer
alltäglichen Umgebung 32
Wohlstand 34

Kapitel 2: Im Jetzt leben

Leben Sie jetzt! 40
Warten, daß etwas geschieht 44
Versöhnlichkeit 45
Glücklich sein 48
Vom Umgang mit Depression 52
Humor 54

Kapitel 3: Ihr Geist

Unsere vorherrschenden
Gedanken geben die Richtung an 58
Ihr Unterbewußtsein 60
Vorstellungskraft 63
Mentales Training 65
Was wir erwarten, stellt sich ein 68
Das Gesetz der Anziehungskraft 69
Hören Sie auf Menschen, deren
Leben gut läuft! 71
Was wir fürchten,
ziehen wir an 72
Die Macht des Wortes 76
Dankbarkeit 81

Kapitel 4: Ziele

Setzen Sie sich Ziele! 84
Einschränkungen 88
Probleme 90
Fehler 92
Das Gesetz von Säen und Ernten 95
Risiko 97
Engagement 100
Anstrengung 102
Die elfte Stunde 105
Beharrlichkeit 106
Fragen und bitten 109
Entschuldigungen oder Erfolge 112

Kapitel 5: Von der Natur lernen

Naturgesetze 116
Von der Natur lernen 118
Liebe 119
Von Kindern lernen 120
Beweglich bleiben 122
Was wir nicht nutzen,
geht uns verloren 124
Entspannen und loslassen 125
Veränderung 127
Wieviel verstehen wir wirklich? 129
Sie selbst verleihen dem Leben Wert 131

Kapitel 6: Das Heute ist wichtig

So fangen Sie an 134

Literaturverzeichnis 136

Kapitel 1

Muster

Vorprogrammierte Muster

Selbstbild

Gesundheit

Schmerz

Wir werden Teil unserer alltäglichen Umgebung

Wohlstand

Das Leben ändert sich, wenn wir uns verändern.

Vorprogrammierte Muster

Lassen Sie uns einmal einen Blick auf das werfen, was in Ihrem Inneren vorgeht. Müssen Sie beim Überqueren der Straße auf jeden einzelnen Schritt achten? Ist zum Kaugummikauen Konzentration erforderlich? Müssen Sie an der Verdauung der Pizza arbeiten, die Sie gerade gegessen haben?

"... noch diese eine Sardelle verdaut, dann kann ich mich endlich entspannen und einschlafen."

Müssen Sie sich im Schlaf auf das Weiteratmen konzentrieren?

Sie steuern keinen dieser Vorgänge bewußt, nicht wahr? Sie steuern sie unterbewußt. Der Geist ist einem Eisberg vergleichbar. Einen Teil davon, das Bewußtsein, sehen wir; den größeren Teil, das Unterbewußtsein, sehen wir nicht. Unser Unterbewußtsein ist verantwortlich für den größten Teil der Ergebnisse, die wir im Leben erreichen.

Wenn wir feststellen, daß sich in unserem Leben Vergangenes wiederholt, dann ist dieser unterbewußte Teil unseres Geistes dafür verantwortlich. Für viele von uns wiederholen sich bestimmte Muster immer wieder - dieselbe alte Erfahrung, dasselbe Verhalten tauchen immer wieder auf.

Kennen Sie jemanden, der immer zu spät kommt? Ich spielte einmal Tennis mit einem Bekannten, der immer zu spät kommt. Vor der Arbeit spielten wir Tennis im Hilton. Ich pflegte zu sagen: "David, morgen früh um 7.00 Uhr spielen wir Tennis." Und er sagte jedesmal: "Ich werde da sein."

"Hast du dir diese Zeit gemerkt?" - "7.00 Uhr früh. Ich werde da sein!"

Und mit Sicherheit kam David dann am nächsten Morgen um 7.15 Uhr an. Er hatte immer eine Entschuldigung. "Mein Sohn hatte sich meinen Schläger ausgeliehen und unter seinem Bett versteckt." In der folgenden Woche war es dasselbe. David kam um 7.16 Uhr. Der Grund: "Ich fand nur *einen* Tennisschuh." In der nächsten Woche kam er genau um 7.15 Uhr. "Der Goldfisch war krank, und das Baby schrie." Und so weiter. Da gab es leere Batterien, Stromausfall, verlorene Autoschlüssel oder Unterwäsche, die naß in der Waschmaschine liegen gelassen worden war.

Schließlich sagte ich: "David, laß uns eine Abmachung treffen. Jede Minute, die du zu spät kommst, kostet dich von jetzt an einen Dollar." Am nächsten Tag verletzte er sich an der Schulter, und wir haben seitdem nicht wieder Tennis gespielt!

Er dachte, die Welt tue ihm das an! Er versuchte nicht, bewußt zu spät zu kommen, doch lief in seinem Unterbewußtsein ein Programm ab, das lautete: "Du bist immer zu spät dran", ... und dieses Programm beeinflußte sein Leben.

Wenn David aus Versehen einmal früh aufgestanden und planmäßig zur rechten Zeit angekommen wäre, hätte ihm sein inneres Programm dabei geholfen, einen Baum zu finden, gegen den er hätte prallen können, oder eine fremde Straße, in der er sich hätte verirren können. Er hätte dann aufatmend zu sich gesagt: "So ist das besser - jetzt weiß ich wieder, wo es lang geht!"

"... Und dann bekam ich die Grippe, das Haus brannte ab, das Auto wurde gestohlen, Georg hatte eine Operation, die Katze bekam die Grippe ..."

Das Leben als Drama. Sie kennen wahrscheinlich Menschen, deren ganzes Leben ein einziges Drama ist. Sie begegnen ihnen auf der Straße und machen den verhängnisvollen Fehler, "Wie geht's?" zu sagen. Sie erfahren, daß ihre Katze gerade gestorben ist, ihr Auto beschlagnahmt wurde, Vati aus Versehen das Haus niederbrannte, ein Meteorit ihre Garage dem Erdboden gleichmachte und sie gerade erfahren haben, daß sie an etwas sehr, sehr Schlimmem leiden, von dem Sie noch nie gehört haben.

Jedesmal wenn die Gefahr besteht, daß im Leben solcher Menschen alles glatt geht, sagt eine leise, unbewußte Stimme: "Moment mal, hier stimmt doch etwas nicht!", und bald stellt sich ein weiteres Drama ein. Sie verlieren ihre Arbeitsstelle, die Operation muß wiederholt werden, sie werden verhaftet ... und alles ist wieder beim alten.

Später wollen wir sehen, was wir in bezug auf diese eingefahrenen Gleise tun können, doch im Augenblick wollen wir noch ein paar weitere herausfinden.

Neigung zu Unfällen. Manche Leute haben ein Talent für Unfälle. Sie fallen ihr Leben lang von Leitern, von Fahrrädern, von Bäumen, bekommen Stromschläge und sind in Autounfälle verwickelt. Ich kenne eine Versicherungsagentin, die ihr erstes Auto mit sechzehn Jahren kaufte und mit zwanzig bereits ihr fünftes. Sie berichtete: "Jedesmal wenn ich ein neues Auto gekauft hatte, fuhr jemand auf mich auf. Nach dem fünften Auffahrunfall kaufte ich, weil mir mein Leben lieb ist, nur noch Gebrauchtwagen."

Anfälligkeit für Krankheit. Kennen Sie jemanden, der auf Krankheit programmiert ist? Manche Leute haben zweimal pro Jahr eine Erkältung. Manche Menschen werden jedesmal krank, wenn sich ihnen eine große Chance bietet. Manche erwischt es jeden Montagmorgen!

Unordentlichkeit. Manche Menschen neigen zur Unordentlichkeit. Sie schaffen die Unordnung nicht bewußt, doch sitzt dieses Verhaltensmuster tief. Ihr Schreibtisch ist unaufgeräumt, ihre Ablagen sind ein Durcheinander, ihr Haar ist wirr. Auch wenn Sie für diese Menschen einmal Ordnung schaffen, sehen ihr Büro, ihr Schlafzimmer, ihr Auto oder ihr Vesperpaket bereits zwanzig Minuten später wieder aus, als sei ein Wirbelsturm hindurchgefegt.

Pleitemuster. Ist Ihnen schon einmal jemand begegnet, der immer pleite ist? Es kommt nicht darauf an, wieviel wir verdienen, sondern darauf, was wir mit unserem Verdienst anfangen! Menschen, die auf Pleite programmiert sind, bewegen sich unbewußt immer im selben Gleis. Wann immer sie etwas Geld zur Verfügung haben, schauen sie sich schnell nach einer Möglichkeit um, es los zu werden. So sicher, wie Sie sich kratzen, wenn es Sie juckt, kommen diese Leute zu Geld und ... geben es aus. (Für diejenigen unter Ihnen, die in der Verkaufsbranche sind: Fassen Sie Mut!) Meistens bemerken sie gar nicht, was geschieht. Sie denken, was ihnen solche Probleme bereite, sei die Wirtschaftslage, die Regierung oder ihr Gehalt. Aber sie wären auch noch pleite, wenn man ihren Lohn verdoppelte! Tatsächlich besteht der Grund dafür, daß die meisten Leute, die die Lotterie gewinnen, anschließend alles wieder verlieren, darin, daß sie einem inneren Muster folgen, das besagt: "So viel Geld ..., das fühlt sich nicht richtig an. Das paßt nicht zu mir. Ich sollte etwas dagegen unternehmen."

Gefühl der Unersetzbarkeit. Wenn Ihr Programm lautet, daß Sie unersetzbar seien, wissen Sie mit absoluter Sicherheit, daß drei Minuten, nachdem Sie Ihre Ferienreise angetreten haben, der Blitz ins Büro einschlägt und alle Ihre Angestellten mit der Grippe darniederliegen. Wenn wir so programmiert sind, schaffen unsere Erwartungshaltung und unser Glaubenssystem die entsprechende Situation und erhalten sie aufrecht. Jedesmal wenn wir verreisen, bricht die Hölle los.

Wechsel der Arbeitsstelle. Kürzlich kam ein Zeitgenosse zu mir, der daran dachte, seine Arbeitsstelle zu wechseln. Er sagte: "Meine Firma deprimiert mich, unsere Produkte sind minderwertig, und ich kann meine Miete nicht bezahlen."

Ich sagte: "Wie lange arbeiten Sie schon für diese Firma?"

Er sagte: "Zwei Jahre."

Ich sagte: "Und was war mit der Stelle, die Sie davor hatten?"

Er sagte: "Diese Stelle hatte ich ungefähr zwei Jahre lang."

"Und die Stelle davor?"

"Zwei Jahre."

"Und davor?"

"Ungefähr vierundzwanzig Monate."

Ich sagte: "Wo liegt das Problem – bei Ihnen oder bei der Firma?"

Er sagte: "Bei mir!"

Ich sagte: "Wenn das Problem bei Ihnen liegt, warum dann die Firma wechseln?"

Im Verlauf der Unterhaltung erzählte ich ihm von einer Freundin, die in den letzten elf Monaten fünf verschiedene Arbeitsstellen gehabt hatte. Ich sagte: "Übrigens könnte ich mein ganzes Vermögen darauf verwetten, daß sie in einem Jahr nicht mehr an der gleichen Arbeitsstelle arbeitet." Am selben Nachmittag rief sie mich an und erzählte mir, sie habe gekündigt! Meine Ersparnisse waren überhaupt nicht in Gefahr!

Jetzt berichtet mir diese Frau, daß sie überglücklich sei – es steht uns also nicht zu, in Frage zu stellen, ob ihr Programm gut oder schlecht ist. Es ist nur einfach gut zu erkennen, daß wir bestimmten Mustern folgen. Möglicherweise verlaufen *unsere* Programme für Auto, Haus und Beziehungen ganz ähnlich.

Es gibt noch weitere Muster. Zum Beispiel:

Das "Die-Menschen-sind-schlecht-und-das-Leben-ist-scheußlich-warum-tut-mir-die-Welt-das-an-ich-wünschte-ich-wäre-tot"-Muster. Noch einmal: Wir neigen dazu, uns unsere Lebensumstände selbst zu schaffen. Dieses Muster macht jedoch wirklich keinen Spaß!

Das "Ich-habe-immer-nur-gerade-so-viel-daß-es-reicht"-Muster. Damit halten unser bewußtes und unser unterbewußtes Denken uns in einer Situation gefangen, in der das Leben ein Kampf ist und wir immer "gerade nur so hinkommen".

Kommt Ihnen eines dieser Muster bekannt vor?

Das "Ich-liege-immer-daneben"-Muster. Es manifestiert sich, indem wir entweder zu früh oder zu spät geboren werden, zur Schule gehen, ein Geschäft eröffnen oder in Ferien gehen. Wir sind immer zur falschen Zeit am falschen Ort! Oder wir haben vielleicht die richtige Begabung, aber die falschen Lehrer, oder die richtigen Lehrer, aber die falsche Begabung, oder weder Lehrer noch Begabung.

Das "Die-Leute-hauen-mich-immer-übers-Ohr"-Muster. Müssen wir noch mehr dazu sagen?

W ir haben damit begonnen, daß wir uns einige *negative* Muster näher anschauten. Es gibt jedoch auch sehr *positive* Muster, die Sie vielleicht kennen.

Das "Ich-bin-immer-gesund"-Muster. Unser Gesundheitszustand hängt von dem Programm ab, das zwischen unseren Ohren abläuft und bestimmt, wer wir sind und was mit uns geschieht.

Kennen Sie Leute, die **"immer-zur-richtigen-Zeit-am-richtigen-Ort"** sind? Sie eröffnen ein Geschäft, wenn die Wirtschaft zu florieren beginnt, und verkaufen ihr Haus, kurz bevor die Jugendhaftanstalt auf dem Nachbargrundstück gebaut wird; sie fahren in Ferien und lernen irgendeinen Millionär kennen, der sie zu einer Kreuzfahrt quer durch Europa einlädt. Und Sie denken bei sich: Wie machen die das nur? Wenn ich nur einen Bruchteil von deren Glück hätte! Zur richtigen Zeit am richtigen Ort sein ist ein inneres Programm.

Und wie ist es mit dem **"Ich-kann-anpacken-was-ich-will-ich-verdiene-immer-Geld-dabei"-Muster?** Manche Leute haben das! Oder das **"Ganz-gleich-was-ich-kaufe-ich-komme-immer-gut-dabei-weg"-Muster?** (Und das Gegenteil davon ist: "Ich bekomme immer die saure Zitrone!")

Andere Muster beinhalten das **"Ich-vertraue-den-Menschen-und-sie-behandeln-mich-immer-gut"-Programm** oder das **"Was-immer-ich-tue-ist-leicht-und-macht-Spaß"-Modell.**

Wir können annehmen, daß Sie bei den guten Mustern bleiben wollen. Und was ist mit den Mustern, die Sie *nicht* wollen? So fragen wir uns: "Diese gräßlichen Programme, die ich da habe - wann ändern die sich? Wann hört das auf?"

Die Antwort lautet: "Das Leben ändert sich, wenn wir uns verändern!"

Veränderung bringt immer Herausforderungen mit sich

Es ist nicht immer leicht, eingefahrene Muster zu verändern, aber es ist durchaus möglich. Sie können von jedem Ausgangspunkt zu ihrem Ziel gelangen, und dieses Buch handelt davon, wie sich das machen läßt. Dabei müssen wir uns eines Umstandes gleich hier bewußt werden. Wann immer wir beschließen, uns zu verändern, stoßen wir auf Widerstand. Unsere Entschlossenheit wird immer auf die Probe gestellt.

Angenommen, Sie beschließen, eine Diät zu beginnen. In dieser Woche machen Sie sich endlich ans Abspecken. In genau dieser Woche quillt Ihr Briefkasten von Einladungen zum Abendessen, zu Cocktailpartys und Geburtstagen förmlich über. Jede Veränderung wird auf harte Proben gestellt, besonders am Anfang.

Nehmen wir an, Sie beschließen, zum ersten Mal in Ihrem Leben ein Sparkonto zu eröffnen und den Grundstein für Ihr künftiges Vermögen zu legen. Sie sagen das Abendessen im *Hyatt* ab, denn dies gehört sowieso zu Ihrem Diätplan, und haben jetzt

dreiundsechzig Dollar für Ihr Sparkonto beiseite gelegt. Ist das nicht der Tag, an dem Ihre Autoversicherung fällig wird, der Kühlschrank explodiert und Ihr Schwager die hundert Dollar braucht, die Sie sich letzte Weihnachten von ihm ausgeliehen haben?

Nehmen wir an, Sie gehören zu denen, die sich gerne eher salopp kleiden. Jedes Mal, wenn Sie Ihre besten Hosen anziehen, werden diese hoffnungslos schmutzig. Sie bekommen schon Schmieröl ans Hosenbein, wenn Sie nur vom Schlafzimmer ins Badezimmer gehen! Aber nur, wenn Sie Ihre *besten* Hosen tragen! In solchen Fällen neigt man dann meistens dazu zu denken: "So bin ich nun einmal. Daran ist nichts zu ändern!" In Wahrheit können Sie sich durchaus ändern, nur versuchen die alten Muster, sich weiter zu halten.

Wie also verändern wir uns?

Seien Sie sich zuerst dessen bewußt, daß jede Veränderung auf Widerstand stößt. Kurz gesagt, seien Sie gerüstet.

Die Entstehung der Muster

Wir beginnen bereits unmittelbar nach der Geburt, Verhaltensmuster herauszubilden. Deshalb sind sie so beharrlich und zäh.

Betrachten wir zum Beispiel Eßgewohnheiten. Als Kleinkinder weinten wir aus vielen verschiedenen Gründen: Es war uns heiß oder kalt, wir waren durstig, einsam, frustriert, wollten auf den Arm genommen werden, übten unsere Lungen, waren naß, wollten ein Spielzeug, wollten beachtet werden und so weiter. Wenn wir weinten, wurden wir in den meisten Fällen gefüttert. So entstand die Assoziation, daß die Lösung für jedes der oben erwähnten Probleme darin bestehe, etwas in den Mund zu schieben. Wenn Sie also rauchen, trinken oder zu viel essen, ist es nicht schwierig zu erkennen, woher ein Teil Ihrer Programmierung stammt.

Wenn Sie frustriert, einsam oder deprimiert sind und der einzige Lichtblick in Ihrem Leben das Licht in Ihrem Kühlschrank ist, wissen Sie jetzt, warum. Die "Lösung" Flasche oder Zigarette beruht teilweise auf ähnlichen Konditionierungen.

Viele unserer gegenwärtigen Eigenschaften entstehen aus den Erlebnissen unserer frühen Kindheit, und die Gründe dafür sind ähnlich. In den ersten Jahren haben wir nichts im Kopf und sind für alles empfänglich: Wir absorbieren Information wie ein Schwamm. Da unsere erste Beziehung die Beziehung zu unseren Eltern ist, ist deren Einfluß auf unser späteres Leben und unsere späteren Beziehungen riesig. Wir schaffen, zum Teil bewußt, aber größtenteils unterbewußt, Muster in unserem Leben, die die Erfahrungen widerspiegeln, die wir mit unseren Eltern gesammelt haben. Zum Beispiel ...

... gehen wir Beziehungen zu solchen Menschen ein, die unseren Eltern gleichen. Wir bemerken etwa, daß wir für einen Chef arbeiten oder Freundschaften mit Menschen schließen, die unserem Vater oder unserer Mutter ähneln.

... stellen wir solche Beziehungen mit anderen Menschen her, die die Beziehungen unserer Eltern mit anderen widerspiegeln. Wenn unsere Eltern liebevoll und sanft waren, dann neigen auch wir zu diesem Verhalten. Wenn sie andere mißbrauchten, übernehmen wir das anfänglich auch.

... ziehen wir Partner an, die unserer Mutter oder unserem Vater ähneln. Das kann nicht nur ein- oder zweimal vorkommen, sondern immer wieder. Der Grund dafür mag sein, daß wir uns schon sehr früh ein unterbewußtes Bild machen, das zum Beispiel besagt: "Echte Männer sind groß, schlank und schweigsam" (wie mein Papa) oder "Eine Frau sollte klein und wohlerzogen sein" (wie meine Mama). Es kann dann sein, daß wir - ohne uns dessen bewußt zu sein - nach dem Partner suchen, der diesem Bild entspricht.

Auch die Qualität des Verhältnisses zu unseren Eltern schafft Muster. Wenn wir als Kinder Schuldgefühle und Ablehnung erlebt haben, dann ziehen wir fortlaufend Menschen an und suchen Umgang mit Menschen, die uns "schlecht" behandeln. Andererseits zieht es uns als Erwachsene zu Menschen hin, die uns mit Respekt behandeln, wenn wir als Kinder Liebe und Annahme erfahren haben. Kurz gesagt ziehen wir an, was wir erwarten, und die Welt behandelt uns so, wie wir es zu verdienen glauben.

Wir streifen hier kaum mehr als die Oberfläche. Da wir jedoch wissen, daß ein Problem, ist es erst einmal erkannt , bereits so gut wie halb gelöst ist, ist es sehr wertvoll, sich seiner inneren Programme bewußt zu sein und eine Vorstellung davon zu haben, wo sie herrühren.

"So wie mein Vater werde ich nie!"

Des Pudels Kern

Wir sind nicht für immer in unseren vorgeprägten Mustern gefangen. Alte negative Muster können zwar zäh sein, sind aber nicht unüberwindbar. Denken Sie immer positiv über sich selbst und Ihre Lebensumstände. Auf diesem Gebiet ist geistige Disziplin zwar nicht unbedingt leicht, aber dafür um so lohnenswerter. Sprechen Sie immer gut über sich selbst und visualisieren Sie ständig, daß Ihr Leben so verläuft, wie Sie es sich wünschen. Sie schaffen sich so neue Muster zum Glücklichsein.

Hören Sie motivierende Kassetten und verschlingen Sie Bücher über Erfolg. Setzen Sie Affirmationen und Subliminalprogramme ein, und verbringen Sie Zeit mit Leuten, von denen Sie etwas lernen können. Sie können Ihre inneren Programme umschreiben und zu dem Menschen werden, der Sie gerne sein möchten.

Zusätzlich können Sie die zusammenfassenden Empfehlungen in diesem Buch dazu einsetzen, systematisch diejenigen Dinge aus Ihrem Leben zu verbannen, die Sie belasten, und die Programme zu verstärken, die Sie voranbringen. (Diese Zusammenfassungen finden Sie immer unter der Überschrift "Des Pudels Kern", englisch: *in a nutshell*, wörtlich = "in einer Nußschale", das heißt in knapper Form, in aller Kürze. Anmerkung des Verlags)

Selbstbild

Ist Ihnen jemals aufgefallen, daß andere Leute, wenn Sie sich gut fühlen, sehr nett werden? Ist es nicht komisch, wie sie sich verändern?

Die Welt ist eine Reflexion unserer selbst. Wenn wir uns selbst hassen, hassen wir auch alle anderen. Wenn uns gefällt, wie und wer wir sind, ist die restliche Welt wunderbar.

Unser Selbstbild ist die Blaupause, die genau festlegt, wie wir uns verhalten, mit wem wir umgehen, was wir ausprobieren und was wir vermeiden; jeder Gedanke und jede Handlung entspringt aus der Art, in der wir uns selbst sehen.

Das Bild, das wir uns von uns selbst machen, ist durch unsere Erfahrungen gefärbt, durch unsere Erfolge und Mißerfolge, durch die Gedanken, die wir über uns selbst hegen, und die Art, in der wir die Reaktion anderer auf uns auslegen. Wenn wir dieses Bild für eine Tatsache halten, leben wir in der Folge gänzlich innerhalb der Grenzen, die dieses Bild uns steckt.

Unser Selbstbild bestimmt deshalb, ...

    ... wie sehr wir die Welt lieben und wie gut es uns gefällt, in ihr zu leben;

    ... wieviel genau wir im Leben erreichen werden.

Wir sind, was wir zu sein glauben. Deshalb schrieb Dr. Maxwell Maltz, der Autor des Bestsellers *Psycho-Cybernetics:* "Das Ziel jeglicher Psychotherapie besteht darin, das Bild, das der Betreffende von sich hat, zu verändern."

Wenn Sie sich selbst als "hoffnungslosen Fall" in bezug auf Mathematik betrachten, werden Sie immer Schwierigkeiten mit Zahlen haben. Sie haben – vielleicht durch frühe negative Erlebnisse ausgelöst – eine Haltung angenommen, die besagt: "Ganz gleich, was auch immer passiert, ich verstehe Mathematik nicht." Deshalb versuchen Sie es erst gar nicht. Im allgemeinen bleiben Sie dann immer weiter zurück. Falls Sie jemals Erfolg haben sollten, sagen Sie: "Das war nur ein Zufallstreffer." Wenn Sie keinen Erfolg haben, sagen Sie: "Siehst du wohl, das ist der Beweis, daß ich ein hoffnungsloser Fall bin!" Wahrscheinlich erzählen Sie auch Ihren Bekannten, daß Sie nicht zwei und zwei zusammenzählen können. Je öfter Sie Ihrem Bruder, Ihrem Mann, Ihrem Nachbarn und Ihrem Bankier erzählen, daß Sie ein hoffnungsloser Fall sind, desto mehr glauben Sie es selbst und desto tiefer prägt sich dieses Selbstbild ein.

Der erste Schritt in Richtung auf eine bedeutende Verbesserung unserer Ergebnisse besteht darin, die Art zu ändern, in der wir über uns denken und sprechen. Wer langsam lernt, kann schneller lernen, sobald er beginnt, die Gedanken über seine eigenen Fähigkeiten zu ändern. Wenn Ihr Selbstbild besagt, daß Ihre Koordination ausgezeichnet sei, werden Sie leicht neue Sportarten erlernen. Besagt Ihr Selbstbild, daß Sie ungeschickt seien, dann werden Sie sich sehr darum sorgen, daß Sie den Ball nur nicht fallen lassen, und lassen ihn am Ende natürlich doch fallen.

Solange Sie sich als jemanden sehen, der immer pleite ist, bleiben Sie pleite. Wenn Sie sich als finanziell erfolgreich sehen, wird es Ihnen gut gehen.

Unser Selbstbild ist wie ein Thermostat, und wir bewegen uns immer nur im vorgeschriebenen Bereich. Vielleicht erwartet Fritz zum Beispiel, ungefähr die Hälfte der Zeit über glücklich zu sein. Wenn deshalb einmal alles ganz besonders glatt läuft, denkt er sich: "Moment mal! So glatt kann das doch nicht laufen! Jetzt muß dann bald irgend etwas schiefgehen." Wenn das dann passiert, atmet Fritz erleichtert auf und sagt: " Ich wußte doch, daß das nicht lange gutgehen kann."

Was Fritz vielleicht nicht weiß, ist, daß es in der Welt Menschen gibt, die immer unglücklich sind, und andere, die fast die ganze Zeit über glücklich sind. Wir schaffen unsere eigene Lebensqualität, und diese beruht auf dem Bild, das wir von unserem eigenen Glück haben.

Das bedeutet, daß *wir* unser eigenes Selbstbild *bestimmen. Wir entscheiden* über unseren eigenen Wert *und legen fest,* wieviel Glück wir erwarten.

Komplimente oder: Warum nicht einfach danke sagen ...?

Unser Selbstbild bestimmt, worauf wir achten und woran wir denken. Ein gutes Selbstbild erlaubt es uns, daß wir uns auf früher erhaltene Komplimente und auf unsere Erfolge konzentrieren. Das ist nicht damit zu verwechseln, daß wir uns den Erfolg zu Kopf steigen lassen. Jemand sagte einmal: "Einbildung ist eine merkwürdige Krankheit. Allen wird übel davon, nur dem nicht, der daran leidet!" Egoismus und gesunde Selbstliebe sind einander völlig entgegengesetzt.

Man muß zwischen Egoismus und gesunder Eigenliebe unterscheiden. Menschen mit großem Ego müssen immer im Zentrum der Aufmerksamkeit stehen, sehnen sich nach Anerkennung und kümmern sich wenig um andere.

Gesunde Eigenliebe dagegen läßt uns sowohl unsere eigenen als auch die Wünsche anderer respektieren. Das bedeutet, daß wir auf unsere Leistungen stolz sind, ohne sie hinauszuposaunen, und daß wir unsere Unzulänglichkeiten annehmen können, während wir uns darum bemühen, uns zu verbessern.

Gesunde Eigenliebe bedeutet, daß wir uns nicht gezwungen fühlen, vor uns selbst oder anderen gegenüber zu rechtfertigen, warum wir Ferien machen, ausschlafen, neue Schuhe kaufen, warum wir uns selbst ab und zu verwöhnen. Es ist angenehm, Dinge zu tun, die Qualität und Schönheit in unser Leben bringen.

Lassen Sie uns feststellen, daß es so etwas wie einen "Überwertigkeitskomplex" nicht gibt. Wenn wir unseren eigenen Wert wirklich zu schätzen wissen, haben wir nicht das Bedürfnis, der Welt mitzuteilen, wie gut wir sind. Nur ein Mensch, der nicht selbst von seinem Wert überzeugt ist, macht sich daran, den Rest der Menschheit über seine Qualitäten zu informieren.

Wir wollen uns eingestehen, daß es in Ordnung ist, ein Kompliment, das uns jemand macht, anzunehmen. Wir können ein Kompliment mit einem charmanten "Dankeschön" annehmen, auch wenn wir nicht vollkommen sind. Erfolgreiche Menschen sagen immer danke schön. Sie wissen, daß gute Arbeit Anerkennung verdient.

Wenn Sie Greg Norman zum Gewinn der Golfmeisterschaft gratulieren, sagt er nicht: "Das war reiner Zufall." Und auch nicht: "Ich habe eben Glück gehabt." Er sagt danke schön. Wenn Sie Paul McCartney zu seinem neuen Hit gratulierten, wäre seine Antwort nicht: "Sie spinnen wohl! Diese Schallplatte ist doch nichts wert." Er würde danke sagen. Diese Männer haben wie alle erfolgreichen Menschen ihren eigenen Wert erkannt; sie anerkannten ihn, lange bevor sie erfolgreich wurden, und brachten es dadurch zum Erfolg. Sie mußten, wie jeder von uns, zuerst ihren eigenen Wert anerkennen.

Ein Kompliment ist ein Geschenk. Um jemandem ein Kompliment zu machen, muß man nachdenken und sich Mühe geben. Und es ist enttäuschend, wenn jemand ein Geschenk oder Kompliment nicht annimmt, sondern es einem ins Gesicht schleudert. Dies ist ein weiterer Grund, weshalb man Komplimente dankbar annehmen sollte. Stellen Sie sich vor, ein Freund macht Ihnen ein Kompliment wegen Ihres guten Aussehens, und Sie erwidern darauf: "Aber ich habe doch Wulstlippen und kurze Beine!"

Daraufhin fühlen Sie sich schlecht, weil Sie das Kompliment nicht in dem Sinne angenommen haben, in dem es angeboten wurde. Der Freund fühlt sich aus demselben Grund schlecht und erinnert sich zukünftig an Sie als eine kurzbeinige, wulstlippige Freundin. Warum nicht lieber einfach danke sagen?

Das "Ich", das andere Menschen sehen

Wenn wir die Menschen um uns her betrachten, läßt sich unser Selbstbild gut einschätzen. Wir treten in Beziehung zu Menschen, die uns so behandeln, wie wir glauben, es verdient zu haben. Menschen mit einem gesunden Selbstbild verlangen Respekt von denen, die um sie sind. Sie behandeln sich selbst gut und zeigen damit anderen, wie sie selbst behandelt werden wollen.

Wenn Maria ein schlechtes Selbstbild hat, läßt sie sich von anderen alles mögliche gefallen und läßt sich ausnutzen. Sie denkt bei sich: "Es macht nichts aus" oder "Das bin ja nur ich" und "Ich bin schon immer schlecht behandelt worden. Vielleicht habe ich das wirklich verdient!"

Wir fragen uns vielleicht nun: "Wie lange muß sich Maria diese schlechte Behandlung gefallen lassen?"

Die Antwort lautet: "Solange sie eine schlechte Meinung von sich hat."

Die Menschen behandeln uns so, wie wir uns selbst behandeln. Diejenigen, mit denen wir Umgang pflegen, stellen schnell fest, ob wir uns selbst respektieren. Wenn wir uns selbst respektvoll behandeln, werden sie diesem Beispiel folgen.

Ich glaube, wir alle kennen Frauen, die kein gutes Selbstbild haben und von einer katastrophalen Beziehung in die nächste taumeln. Ihre Partner trinken oder haben alle Hoffnung aufgegeben. Sie selbst fühlen sich jedesmal physisch oder emotional mißbraucht. Unglücklicherweise dauert dieses Muster so lange an, wie sie an ihrem gegenwärtigen Selbstbild festhalten.

Gleichzeitig gibt es eine Menge Leute, die, nachdem sie durch Leiden gelernt hatten, beschlossen, von Freunden, Verwandten und Arbeitskollegen eine faire Behandlung zu verlangen. Sie erkannten, daß sie die gewünschten Reaktionen erhielten, wenn sie darauf bestanden.

Ihr Wert

Stellen Sie sich vor, Sie seien für ein drei Monate altes Baby verantwortlich. Würden Sie dieses Baby füttern, wenn es an der Zeit ist, ohne irgendwelche Bedingungen daran zu knüpfen? Natürlich! Sie würden nicht sagen: "Also, Kleines, du bekommst von mir nur zu trinken, wenn du etwas Kluges oder Schlaues machen kannst. Wenn du nicht aufsitzen, das Alphabet hersagen oder mich zum Lachen bringen kannst, bekommst du nichts zu trinken!" Sie füttern ein Baby, weil es dem Baby zusteht, gefüttert zu werden. Es steht ihm zu, geliebt, umsorgt und gerecht behandelt zu werden. All das steht ihm zu, weil es, wie Sie selbst, ein menschliches Wesen, ein Teil des Universums ist.

Ihnen selbst steht genau das gleiche zu. Es stand Ihnen zu, als Sie geboren wurden, und es steht Ihnen auch jetzt zu. Zu viele Menschen sind der Meinung, daß ihnen weder Liebe noch Respekt zustehen, wenn sie nicht so klug, schlau, gutaussehend, gutbezahlt, sportlich oder geistreich sind wie andere, die sie kennen.

Sie haben Liebe und Respekt einfach schon dadurch verdient, daß Sie Sie selbst sind!

Wir konzentrieren uns zu selten auf unsere echte innere Schönheit und Kraft. Erinnern Sie sich an Filme vom Genre "Mann trifft Frau"? Während Mann und Frau sich durch dick und dünn kämpften, hofften und beteten Sie die ganze Zeit über, daß alles gut ausgehen würde. Er zog in den Krieg, sie verließ ihr Zuhause, er kam zurück, sie war nicht mehr da, er fand sie, ihr Bruder sagte ihm, er solle verschwinden, sie sagte ihm, er solle verschwinden, und die ganze Zeit über hofften Sie, daß am Ende doch noch alles gut ausgehen würde. Bevor der Vorhang fiel, heirateten sie und bummelten zusammen in den Sonnenuntergang. Sie selbst trockneten Ihre Tränen, grapschten nach dem leeren Popcornbecher und verließen das Kino.

Wir weinen in solchen Filmen deshalb, weil wir tief in unserem Inneren mitleiden. Wir lieben. Wir kennen Schmerz. Es gibt in uns allen einen Kern, der einfach wunderschön ist. Ob wir diese tiefsten Gefühle offenbaren, hängt davon ab, wie sehr man uns verletzt hat; vorhanden sind diese Qualitäten jedoch in uns allen.

Wenn wir in den Nachrichten das Leid hungernder Menschen auf der Welt dargestellt sehen, schmerzt es uns in unserem Inneren für sie. Jeder von uns mag vielleicht anderer Ansicht darüber sein, wie man diesen Menschen am besten helfen kann, aber wir alle fühlen Mitleid. So sind wir eben nun einmal.

Akzeptieren Sie, daß auch Sie diese Qualitäten haben – die Fähigkeiten, zu lieben und Mitgefühl zu empfinden, ein Mensch zu sein. Es ist nicht richtig zu sagen: "Wir sind halt nur Menschen." Nein: *Wir sind Menschen. Sie sind ein Mensch!* Erkennen Sie Ihren eigenen Wert und erinnern Sie sich ständig daran, daß es Ihnen zusteht, anständig behandelt zu werden.

Das Märchen von Rapunzel

Wie viele Märchen, so enthält auch die Geschichte von Rapunzel einen tieferen Sinn. Sie handelt vom Selbstbild. Rapunzel ist eine junge Frau, die von einer Hexe in einem Schloß gefangen gehalten wird.

Die Hexe redet ihr ein, sie sei häßlich. Eines Tages kommt ein schöner Prinz daher und erzählt Rapunzel, wie schön sie sei. Sie läßt ihre goldenen Locken (die offensichtlich von beträchtlicher Länge waren) hinunter, so daß er an ihrem Haar heraufsteigen kann, um sie zu retten.

Was sie gefangen hält, ist weder der Turm noch die Hexe, sondern der Glaube an ihre eigene Häßlichkeit. Als sie ihre Schönheit erkennt, die sich im Gesicht des Märchenprinzen widerspiegelt, wird sie gewahr, daß sie befreit werden kann.

Wir alle müssen uns der Hexe oder der Hexen in uns bewußt werden, die uns daran hindern wollen, frei zu werden.

Selbstbild und Unterbewußtsein

Unser unterbewußtes Verhalten und unsere unterbewußten Programme sind eng mit unserem Selbstkonzept verknüpft. Wenn wir uns zum Beispiel nicht gut fühlen, dann lassen wir das an uns selbst aus. Das kann in Form von Freßgelagen stattfinden, in Form von Unfällen oder Krankheiten, in der übertriebenen Neigung zu alkoholischen Getränken oder Drogen, indem wir uns unterernähren und so weiter. Dieses Handeln ist nicht unbedingt bewußt. Es ist nur einfach so, daß die Art, in der wir uns selbst behandeln, automatisch widerspiegelt, wie sehr wir uns selbst zu einem bestimmten Zeitpunkt mögen.

Es gibt sogar Beweise dafür, daß Menschen, die in Autounfälle verwickelt sind, oft zu diesem Zeitpunkt schlecht über sich selbst denken, und daß der Unfall zum Teil eine unterbewußte Strafe ist.

24

Es ist von erstrangiger Bedeutung, daß wir alles tun, was in unserer Macht steht, um unsere Gedanken positiv zu halten. Das ermöglicht uns, glücklich zu sein und zu bleiben.

Ein schlechtes Selbstbild besagt: "Ich habe das nicht verdient." Dies bringt einen Menschen dazu, unbewußt das eigene Glück zu sabotieren. Wenn sich aufregende Chancen ergeben oder die Möglichkeit, Ferien zu machen, oder die Gelegenheit, etwas Neues zu lernen, dann findet dieser Mensch entweder bewußt oder unbewußt Gründe, die ihn daran hindern.

Verhalten bei schlechtem Selbstbild

Jeder von uns muß ununterbrochen daran arbeiten, ein positives, gesundes Selbstbild aufrechtzuerhalten. Die folgenden Verhaltensweisen und Eigenschaften weisen darauf hin, daß unser Selbstbild verbesserungswürdig ist:

- Eifersucht
- schlecht über sich selbst sprechen
- Schuldgefühle
- keine Komplimente machen
- die eigenen Bedürfnisse nicht in Betracht ziehen
- nicht nach dem fragen, was man möchte
- sich keinen Luxus gönnen
- keine Zuneigung geben
- Unfähigkeit, Zuneigung anzunehmen und zu genießen
- kritische Haltung gegenüber anderen
- sich selbst mit anderen vergleichen
- anhaltend schlechte Gesundheit

Veränderung ist schwierig. Ein schlechtes Selbstbild will sich immer weiter erhalten. Wenn wir uns auch daran machen, bessere Menschen zu werden, bleibt die Tendenz, immer wieder in die alten Bahnen von Selbstvorwürfen, von Schuldgefühlen und Selbsterniedrigung zurückzufallen. Hier sind einige Vorschläge - Dinge, die Sie tun können, um ihr Selbstwertgefühl zu steigern:

- **Nehmen Sie Komplimente an.**
  Sagen Sie immer danke oder etwas Gleichwertiges.
- **Machen Sie selbst anderen Komplimente.**
  Die Schönheit in anderen zu erkennen macht es uns leicht, uns selbst gut zu fühlen.
- **Sprechen Sie immer gut von sich selbst.**
  Wenn Sie nichts Gutes über sich zu sagen haben, lassen Sie Ihren Mund zu.
- **Loben Sie sich selbst.**
  Klopfen Sie sich auf die Schultern, wenn Sie etwas richtig machen. Erkennen Sie Ihren Wert.

- Unterscheiden Sie zwischen Ihrem Verhalten und sich selbst.
  Erkennen Sie, daß Ihr Selbstwert nicht von Ihrem Verhalten abhängt. Wenn Sie eine Dummheit begehen, zum Beispiel ein geliehenes Auto zu Schrott fahren, heißt das nicht, daß Sie ein schlechter Mensch sind. Sie haben einfach einen Fehler gemacht. (Liebe den Sünder, hasse die Sünde.)

- Behandeln Sie Ihren Körper gut.
  Sie haben nur diesen einen. (Alles, was wir tun, wirkt sich auf alles andere aus.) Verschaffen Sie ihm Bewegung und ernähren Sie ihn gut.

- Lassen Sie andere Menschen wissen, wie Sie behandelt werden wollen.
  Geben Sie anderen ein Beispiel durch die Art, in der Sie sich und die anderen behandeln. Niemand sollte einfach akzeptieren, daß andere ihn schlecht behandeln.

- Begeben Sie sich in gute Gesellschaft.

- Arbeiten Sie darauf hin, daß Sie kein Schuldgefühl bekommen, wenn Sie Freude haben.

- Setzen Sie Affirmationen ein.

- Lesen Sie Bücher, die Sie auf gute Gedanken bringen und Sie inspirieren.

- Halten Sie sich immer Ihr Wunschbild vor Augen, nicht Ihren gegenwärtigen Zustand.
  Dann werden Sie sich unweigerlich in Richtung Ihrer bestimmenden Gedanken bewegen.

Liebe deinen Nachbarn wie dich selbst ...

Das Gebot, unseren Nachbarn wie uns selbst zu lieben*, beinhaltet, daß wir auch *uns selbst* lieben sollen. Beachten Sie, daß die Aufforderung nicht lautet, wir sollten uns selbst ab- und die Mitmenschen aufwerten.

Es wird uns nicht angeraten, uns Entbehrungen aufzuerlegen, zu leiden und uns elend zu fühlen. Meine Interpretation des biblischen Satzes "Liebe deinen Nächsten wie dich selbst" geht dahin, daß wir unsere eigenen Bedürfnisse und die Bedürfnisse unserer Mitmenschen im Gleichgewicht halten und beide Seiten respektieren sollen.

---

* Die englische Version des Bibelwortes *(Love your neighbour as yourself)* legt diese witzig-konkrete Übersetzung nahe. Anm. d. Verlags

26

Falsche Bescheidenheit

Vielleicht kennen Sie Menschen, die von anderen falsche Komplimente erheischen, indem sie eine Umkehrtechnik anwenden. Die Unterhaltung verläuft ungefähr so:

Er: "Ich bin ein schlechter Klavierspieler."

Also sagen Sie: "Ich finde, Sie spielen sehr gut."

Er: "Ach nein. Ich mache viele Fehler."

Also sagen Sie: "Meiner Meinung nach hört es sich sehr gut an."

Er: "Das sagen Sie nur, weil Sie ein netter Mensch sind."

Sie: "Nein, ich meine es ernst. Sie sind phantastisch."

Er: "Danke, ... aber ich bin wirklich schlecht."

Ist das nicht zum Verrücktwerden? Wir sind es uns schuldig, diese lächerlichen Unterhaltungen so schnell wie möglich zu beenden und über etwas Vernünftiges zu reden!

Außergewöhnliche Menschen verwenden keine falschen Bescheidenheitstricks. Sie erheischen keine Komplimente und nehmen Komplimente, die ihnen gemacht werden, taktvoll an.

Gesundheit

Wissenschaftliche Experimente zeigten, auf welch unglaubliche Arten man Meerschweinchen umbringen kann. Emotionale Bestürzung erzeugt wirksame, tödliche Giftstoffe. Blutproben, die bei Menschen entnommen wurden, die intensive Angst oder intensive Wut erlebten, töteten Meerschweinchen, denen man diese injizierte, in weniger als zwei Minuten. Stellen Sie sich vor, was diese Giftstoffe in Ihrem eigenen Körper anrichten können.

Jeder Gedanke, den wir hegen, beeinflußt die chemischen Prozesse in unserem Körper im Bruchteil einer Sekunde. Erinnern Sie sich an das Gefühl, das sich einstellt, wenn Sie die Autobahn entlangschießen und zwanzig Meter vor Ihnen plötzlich ein großer Laster abbremst? Eine Schockwelle schießt durch Ihren ganzen Körper. Ihr Geist ruft sofortige Reaktionen in Ihrem Körper hervor.

Die Giftstoffe, die durch Angst, Wut, Frustration und Streß entstehen, bringen nicht nur Meerschweinchen um, sondern töten auch uns. Man kann nicht gleichzeitig angstvoll, besorgt, ärgerlich und gesund sein. Das ist nicht nur schwierig, es ist unmöglich. Einfach ausgedrückt, spiegelt die Gesundheit Ihres Körpers Ihre geistige Gesundheit wider. Krankheit ist dann oft das Ergebnis ungelöster innerer Konflikte, die sich im Laufe der Zeit an Ihrem Körper zeigen.

Es ist faszinierend, wie unser Unterbewußtsein unsere Gesundheit beeinflußt. Erinnern Sie sich daran, wie Sie einmal an einem Tag krank wurden, an dem Sie nicht zur

Schule gehen wollten? Kennen Sie ein Beispiel von Kopfschmerzen, die durch Angst ausgelöst wurden? Kennen Sie jemanden, der vor einer großen Rede Halsschmerzen bekam? Geist und Körper sind eng miteinander verbunden, und wenn wir beispielsweise etwas vermeiden wollen, wird unser Unterbewußtsein dies häufig arrangieren. Haben wir den Zusammenhang dieser Dinge erst einmal erkannt, sind wir schon auf dem halben Weg zur Besserung.

Unser Glaubenssystem und unsere Erwartungen können uns krank erhalten. Wenn unser Schwager sagt: "Ich habe eine üble Erkältung, und du bekommst sie jetzt wahrscheinlich auch und kannst zwei Wochen im Bett bleiben", werden wir für diese Krankheit anfällig. Zum Teil werden wir nur deshalb krank, weil wir es erwarten.

Es gibt auch Hinweise darauf, daß wir eine bestimmte Krankheit haben, weil unsere Eltern darunter litten und wir sie deshalb als "passend" oder unvermeidlich empfinden. Wir tragen in unserem Gehirn unbewußte Muster oder Programme mit uns, Zellen, die uns entweder gesund erhalten oder krank machen. Manche Menschen sagen: "Ich bekomme nie eine Erkältung", und sie erkälten sich auch nie. Andere sagen: "Ich habe jedes Jahr mindestens zwei Erkältungen", und sie schaffen das auch. Das ist kein Zufall.

Als Kinder lernen wir sehr schnell, daß Kranksein mit die beste Methode ist, Zuwendung zu bekommen. Für manche von uns ist es die einzige Möglichkeit. Wenn wir krank werden, versammeln sich unsere Freunde und Verwandten um uns, und wir fühlen uns sofort mehr geliebt und getröstet. Manche Leute brechen nie aus diesem Muster aus und schaffen es ein Leben lang, krank zu werden, von Leitern zu fallen und sich das Bein zu brechen, wenn sie sich ungeliebt und übergangen fühlen. Sicher, dieses Verhalten ist

eher unbewußt als bewußt. Die Tatsache jedoch, daß Menschen, die sich geliebt und sicher fühlen, viel weniger Krankheiten und "Unfälle" haben als andere, bleibt bestehen.

Unterdrückte Gefühle und Emotionen beeinträchtigen Ihre Gesundheit. Das klassische Opfersyndrom, das da lautet: "Macht euch meinetwegen keine Sorgen. Ich bin nicht wichtig", oder: "Ich bin daran gewöhnt, daß man mich ignoriert und enttäuscht", oder: "Ich lasse es mit einem Lächeln über mich ergehen, koche aber innerlich", ist der Anfang der Katastrophe. Um gesund und vital zu sein, müssen wir positive Emotionen beibehalten und unsere Gefühle ausdrücken. Es ist auch sehr wichtig, *daß wir glauben, gute Gesundheit stehe uns zu.* Wenn wir unterbewußte Gefühle hegen wie "Ich bin kein guter Mensch" oder "Ich habe viel Unrecht getan" oder "Ich habe Strafe verdient", dann ist Krankheit eine klassische Art zu leiden – manchmal dauert das ein ganzes Leben lang.

Wenn wir einen Beruf ausüben, der uns nicht erfüllt, oder ein Leben führen, das uns nicht gefällt, ist in unserem Denken immer der Gedanke vorhanden: "Ich wollte, ich wäre nicht hier." Da unser Körper der Sklave unserer Gedanken ist, macht er sich daran, uns aus unerwünschten Situationen herauszuhalten. Der erste Schritt dazu ist Krankheit. Die Dauerlösung ist Tod.

Ich behaupte nicht, daß sich unser Gesundheitszustand durch die vorausgegangenen Absätze vollständig erklären läßt. Ich möchte hier nur die Rolle der geistigen Haltung für unsere Gesundheit betonen. Wenn ich mit einer Banane an den Südpol reise, ein Loch grabe, sie einpflanze und dann zehn Jahre später mit einem großen Korb wiederkomme, um meine Ernte einzusammeln, wie viele Bananen kann ich wohl ernten? Nicht sehr viele, sagen Sie? Der Grund dafür ist, daß die Verhältnisse nicht für Bananen geeignet sind. Nun, durch Ihre Gedanken und Emotionen steuern Sie die Verhältnisse in Ihrem Körper. Es liegt an Ihnen, ob Sie ihn in eine Brutstätte für Bakterien oder in einen Tempel der Gesundheit verwandeln.

Sie haben von Geburt an ein Anrecht auf gute Gesundheit; und unter guter Gesundheit verstehe ich Kraft und Vitalität. Sie haben ein Anrecht darauf, jeden Morgen mit dem sicheren Wissen aufzuwachen, daß Ihr Körper mehr kann als nur "durch den Tag kommen". Zu viele Menschen sind der Meinung, daß gute Gesundheit nicht mehr bedeutet als die Abwesenheit von Krankheit.

Wenn wir die Verbindung zwischen Körper und Geist betrachten, läßt sich leicht erkennen, wie der Körper vom Geist beeinflußt wird. Unser Unterbewußtsein überwacht den Heilungsprozeß in jedem Augenblick des Tages. Unser Körper baut sich ständig neu auf, und der Bauplan kommt vom Geist.

Was steuert das Zusammenwachsen der Zellen, wenn Ihr verletzter Finger heilt? Welche Intelligenz kümmert sich darum, daß Ihnen, wenn Sie einen Fingernagel verloren haben, ein neuer Fingernagel nachwächst und nicht etwa eine Blase? Etwas muß die Kontrolle über diese Dinge haben! Wir sollten das Wunder unserer körperlichen Existenz nicht für zu selbstverständlich halten!

Ihr Geist ist der Architekt Ihres Körpers und Ihr Körper der Spiegel Ihrer Gedanken. Wenn Sie von Angst, Wut und verdrängten Emotionen überwältigt sind, spiegelt Ihr Körper das wider. Das "Un-wohlbehagen" *(dis-ease)* des Geistes wird zur "Krankheit" *(disease)* des Körpers.

Des Pudels Kern

Denken Sie gesunde, glückliche Gedanken. Malen Sie sich aus, gesund zu sein. Beschließen Sie, daß Sie von Geburt an ein Anrecht auf Gesundheit haben und Gesundheit Ihnen zusteht. Seien Sie vor allem sanft im Umgang mit sich selbst. Akzeptieren Sie sich und lieben Sie sich, wo immer Sie auch gerade stehen, und erkennen Sie an, daß Sie Ihr Leben bis jetzt nach ihrem besten Wissen gestaltet haben.

Schmerz

Wenn wir uns schon über Gesundheit unterhalten, wollen wir auch gleich einige Bemerkungen zum Thema Schmerz machen.

Wenn Sie Hans Müller, der gerade anderthalb Stunden beim Zahnarzt verbracht hat, mit der Bemerkung kommen: "Sind Schmerzen nicht wunderbar?", hält er Sie möglicherweise für leicht verrückt. Und es mag auch Ihnen schwerfallen, den positiven Wert von Schmerzen anzuerkennen, wenn Sie sich gerade die Finger an der Herdplatte verbrannt haben.

Nehmen wir aber einmal an, Sie empfänden *keine* Schmerzen. In diesem Fall könnten Sie sich geistesabwesend zwanzig Minuten lang auf die angeschaltete Herdplatte lehnen, bis Sie sich zufällig umdrehten und feststellten, daß Sie, wo einmal ein Arm war, jetzt einen verkohlten, schwarzen Stumpen haben. Wenn Sie keine Schmerzen empfänden, könnte es vorkommen, daß Sie beim Nachhausekommen, wenn Sie Ihre Hausschuhe anziehen wollen, feststellen: "Oho! Mir fehlt ja mein halber Fuß: Ich muß ihn mir irgendwo abgehackt haben.

Habe ich ihn in die Aufzugtür geklemmt, oder hat der Dobermann von nebenan etwas damit zu tun? Mein Gang kam mir heute nachmittag tatsächlich etwas merkwürdig vor."

Körperliche Schmerzen haben ihre wertvolle, positive Seite. Sie sind ein ständiges Feedback in bezug auf das, was wir tun oder besser lassen sollten. Wie peinlich wäre es, wenn wir während eines romantischen Essens bei Kerzenlicht plötzlich erklären müßten: "Es tut mir leid, Liebling, aber ich kann meinen Nachtisch nicht essen, ich habe mir gerade die Zunge abgebissen." (Diese Erklärung müßten wir natürlich in Zeichensprache geben.)

Wann immer wir zu viel essen, nicht genug schlafen, wann immer ein Körperteil überlastet oder gebrochen ist und Ruhe braucht, teilt unser wunderbares Alarmsystem uns das mit.

Die Erfahrung emotionaler Schmerzen funktioniert nach dem gleichen Prinzip. Emotionale Schmerzen sind ein Hinweis darauf, daß wir unsere Haltung ändern oder die Dinge anders sehen müssen. Wenn wir uns von jemandem verletzt, enttäuscht oder verlassen fühlen, mag die Botschaft lauten: "Liebe die Menschen in deinem Leben ohne Erwartungen. Nimm sie an, wie sie sind, und nimm an, was sie zu geben haben, ohne darüber zu urteilen." Die Botschaft könnte aber auch lauten: "Laß das Verhalten anderer nicht dein Selbstwertgefühl zerstören."

Wenn Ihr Haus abbrennt oder Ihr Auto gestohlen wird, kann es schon vorkommen, daß Sie emotional bestürzt sind. Das ist normal und menschlich. Wenn Sie bereit sind, aus der Situation zu lernen, stellen Sie vielleicht fest, daß Sie auch ohne die Dinge, an denen Sie zu hängen glaubten, glücklich sind. Die Bestürzung kann der Auslöser für ein Überdenken Ihrer Prioritäten werden. Ich will damit nicht sagen, daß wir ohne Häuser und Autos leben sollten. Ich will nur herausstellen, daß erfolgreiche Menschen aus solchen Erfahrungen lernen und ihr Wertsystem so umstellen, daß es nicht zu sehr schmerzt, wenn das Leben Schluckauf bekommt.

Des Pudels Kern

Schmerzen veranlassen uns dazu, Dinge zu überdenken, die Richtung zu wechseln. Sie lassen uns die Dinge anders sehen. Wenn wir eine Dummheit begehen, erleben wir emotionale oder körperliche Schmerzen. Wir könnten sagen: "Also, es sollte eigentlich nicht weh tun. Ich will nicht, daß es weh tut", doch wird der Schmerz weiterbestehen. Manche Menschen bringen es fertig, vierundzwanzig Stunden am Tag und dreihundertfünfundsechzig Tage im Jahr unter etwas zu leiden. Sie merken nie, daß es an der Zeit ist, die Hand von der heißen Herdplatte zu nehmen.

Wir werden Teil unserer alltäglichen Umgebung

Wir sind für den Einfluß der Menschen um uns her sehr empfänglich. Sie kennen vielleicht jemanden, der nach einem Jahr im Ausland mit einem Akzent zurückkam. Oder kennen Sie einen süßen kleinen Fünfjährigen, der unschuldig und naiv zur Schule zockelte und mit mehr Schimpfwörtern zurückkam als ein durchschnittlicher Landsknecht?

Wir werden ein Teil unserer unmittelbaren Umgebung. Wir sind nicht immun gegen den Einfluß unserer Umwelt: Freunde, Familie, Arbeitskollegen, Fernsehen, Zeitung, Radio, Bücher und Zeitschriften. Wir wollen uns nicht vormachen, daß uns die Dinge und Menschen in unserem Leben nicht berühren. Unsere Gedanken und Gefühle, unsere Ziele und unser Handeln werden ständig von allem und allen mitgestaltet, mit denen wir leben.

Fritz hat einen neuen Arbeitsplatz. Fritz macht zehn Minuten lang Kaffeepause, die anderen Arbeiter eine halbe Stunde. Fritz sagt: "Was ist los mit euch?" - Zwei Wochen später macht Fritz zwanzig Minuten Kaffeepause.

Einen Monat später nimmt er sich eine halbe Stunde Zeit. Fritz sagt sich: "Wenn du sie nicht besiegen kannst, schließ' dich ihnen an. *(If you can't beat them, join them.)* Warum sollte ich mehr arbeiten als die anderen?"

Nach zehn Jahren macht Fritz die längste Kaffeepause in der ganzen Fabrik. Er hat sich die Haltung der anderen Arbeiter angeeignet.

Das Faszinierende am Menschsein ist, daß wir der Veränderungen in unserer Psyche im allgemeinen nicht gewahr sind. Es ist wie die Rückkehr in die versmogte Stadtluft nach einigen Wochen in der frischen Landluft. Erst dann fällt uns auf, wie sehr wir uns an die schlechte Luft gewöhnt haben.

Wenn Sie mit kritischen Leuten Umgang haben, werden Sie kritisch. Gesellen Sie sich zu glücklichen Menschen und lernen Sie, was Glücklichsein bedeutet. Wenn wir uns unter unordentliche Menschen mischen, gerät unser Leben durcheinander. Lassen Sie sich auf Menschen mit Begeisterung ein, und Sie werden begeistert. Abenteurer verhelfen uns zu mehr Abenteuergeist, und wohlhabende Menschen inspirieren uns zu mehr Wohlstand.

Das bedeutet, daß wir uns entscheiden müssen, was wir vom Leben wollen, und uns dann die entsprechende Gesellschaft auswählen. Sie sagen jetzt vielleicht mit Recht: "Das wird aber Mühe kosten. Das kann unbequem werden. Dadurch fühlen sich vielleicht manche meiner derzeitigen Bekannten verletzt." Stimmt! Aber es ist *Ihr* Leben!

Fritz sagt vielleicht: "Ich bin immer pleite, habe oft Depressionen, meine Arbeit ist langweilig, ich bin oft krank, ich habe kein Ziel und unternehme nie etwas Spannendes." Dann entdecken wir, daß seine Freunde immer pleite sind, häufig unter Depressionen leiden, langweilige Arbeitsstellen haben, oft krank sind, auf nichts hinarbeiten und sich wünschen, ihr Leben wäre etwas aufregender. Das ist kein Zufall. Es steht uns nicht zu, über Fritz zu urteilen. Wenn Fritz aber je nach mehr Lebensqualität strebt, dann muß er als allererstes erkennen, was diese ganzen Jahre lang los war.

Es ist nicht überraschend, daß Ärzte, als Berufsstand betrachtet, oft krank sind, denn sie verbringen die meiste Zeit ihres Lebens mit Kranken. Aus demselben Grunde ist die Selbstmordrate unter Psychiatern hoch. Herkömmlicherweise rauchen neun von zehn Kindern, deren Eltern rauchen. Übergewicht ist zum Teil ein Problem der Umgebung. Arme Leute sind mit armen Leuten befreundet. Reiche Menschen mit reichen. Erfolgreiche Menschen haben erfolgreiche Freunde.
Und so weiter und so fort.

Des Pudels Kern

Wenn Sie es ernst meinen
mit der Veränderung Ihres Lebens,
machen Sie ernst mit der Veränderung
Ihrer Umgebung.

Wohlstand

"Das Beste, was Sie für die Armen tun können, ist, nicht zu ihnen zu gehören."

Meiner Erfahrung nach glauben viele Leute, daß beim Thema Geld und Wohlstand alles positive Denken, alle Mühe und die richtige Einstellung nicht den geringsten Unterschied ausmachen, wenn es am Monatsende ums Bezahlen der Rechnungen geht.

Tatsächlich erzielen Ihre bewußten und unterbewußten Gedanken immer Ergebnisse, und das gilt auch für die Frage, wieviel Geld Sie am Monatsende auf der Bank haben. Ihr Wohlstand oder Mangel an Wohlstand ist die Folge Ihres Denkens. Ihre Gedanken und Ihr Glaubenssystem halten Sie genau dort gefangen, wo Sie sich gerade befinden, und Ihr Bewußtsein wird Sie, je nachdem wie Sie es trainieren, reich oder arm machen. Sie bekommen, was Sie denken. Wenn Sie denken wie ein Armer, bleiben Sie arm. Wenn Sie denken wie ein Reicher, bleiben Sie reich. *(Think poor, stay poor. Think rich, stay rich.)*

Betrachten wir zum Beispiel unseren Freund Fritz, der glaubt, daß er es immer schwer haben werde, seine Rechnungen zu bezahlen. Fritz bewirbt sich wahrscheinlich nur um Stellen, die verhältnismäßig schlecht bezahlt sind, weil er denkt, daß er dorthin gehört. Es kann gut sein, daß er nur mit Leuten Umgang hat, die zu seiner finanziellen Lage passen, denn dort fühlt er sich zu Hause. Diese Menschen bestätigen seine Meinung, daß das Leben hart ist. In solcher Gesellschaft neigt er nicht dazu, seinen Horizont in bezug auf das, was ihm möglich ist, zu erweitern.

Es ist wahrscheinlich, daß Fritz aus einer Familie stammt, die eine ähnliche Einstellung zu Geld besitzt und die Geldmangel für unabänderlich hält. Dadurch wird er in seinem Glauben bestärkt. ·

Da das Leben uns in erster Linie das beschert, was wir erwarten, und Fritz erwartet, unter Geldmangel zu leiden, wird ihm dieser auch beschert. Da in seinen Gehirnzellen ein Programm abläuft, das besagt: "Du hast einfach nie Geld, Fritz", wird sich wahrscheinlich herausstellen, daß er, sollte er einmal Geld übrig haben, dieses ganz schnell los wird. Seine unbewußten Gedanken lauten: "Es fühlt sich etwas merkwürdig an, einfach so Geld zur Verfügung zu haben! Ich sollte wirklich etwas kaufen, damit ich wieder meinen Normal-zustand erreiche und pleite bin!"

Durch diesen inneren Dialog bestätigt sich Fritz auch, daß Geldprobleme ein unumgänglicher Teil des Lebens sind. Er sagt sich vielleicht: "Ich werde nie zu Geld kommen, weil ich keine gute Ausbildung habe." Wenn eine gute Ausbildung die Voraussetzung zum Reichwerden wäre, müßten alle Universitätsprofessoren Millionäre sein. Ich kenne viele sehr gut ausgebildete Leute, die ständig pleite sind, und viele Leute mit nur ganz wenig Ausbildung, die unglaublich reich sind.

Fritz überlegt sich vielleicht: "Mit meinem Beruf kann ich nie reich werden." Nun, viele Leute suchen sich einen Nebenerwerb, der ihnen einen guten Anfang verschafft. Andere wechseln den Beruf.

Die Zeit könnte der springende Punkt sein. Fritz führt vielleicht an, daß er nicht genug Zeit habe, um reich zu werden. Nun, Fritz, wir alle haben alle Zeit der Welt. Das heißt, jeden Tag vierundzwanzig Stunden – niemand bekommt mehr und niemand weniger.

Fritz mag nun sagen, er sei zu jung oder zu alt, er habe eine Frau, die er versorgen müsse, oder keine Frau, die ihn unterstützt, oder zu viele Kinder ... Bei genauerem Hinsehen wird er jedoch entdecken, daß es Menschen gibt, die sich ihren finanziellen Wohlstand er-schaffen und gleichzeitig mit jeder möglichen Kombination der genannten Faktoren fertigwerden.

Des weiteren kann unser Freund nun argumentieren, daß er zwar gern im Wohlstand lebe, sich aber nicht in Grund und Boden schuften möchte. Und wiederum finden wir Tausende von Beispielen, in denen Menschen hart und lange arbeiten und trotzdem arm bleiben. Desgleichen gibt es viele, die eine annehmbare Arbeitszeit haben und reich werden. Harte Arbeit ist eine Zutat, aber nicht die Garantie für Wohlstand! Wenn Sie mit gebeugtem Rücken zehn Stunden am Tag in der Fabrik Hühner rupfen, trägt das Rupfen weiterer Hühner nicht viel zu Ihrem Wohlstand bei. An einem bestimmten Punkt ange-langt, brauchen Sie eine andere Strategie!

Ich urteile nicht. Geld ist weder gut noch schlecht. Geld ist nichts weiter als Geld. Fritz, und andere übrigens auch, sind vielleicht vollkommen zufrieden mit dem, was sie haben. Der Punkt, auf den ich hinaus will, ist der, daß Fritzens Lebensumstände selbst gemacht sind. Wenn er sich je verändern *will,* kann er sein Ziel erreichen.

Wir werden uns bald ansehen, was Fritz tun kann (oder was Sie tun können), um reich zu werden.

Blockierungen in bezug auf Geld

Schauen wir uns nun genauer an, wie und warum manche Menschen es vermeiden, reich zu werden.

Vielen Leuten ist Geld aus verschiedenen Gründen unangenehm, und sie bleiben deshalb arm. Das hört sich vielleicht verrückt an, ist aber wahr. Stellen Sie sich einmal sich selbst in den folgenden Situationen vor und finden Sie heraus, wie angenehm *Ihnen* der Gedanke ist, Geld zu haben.

Situation A

Sie haben gerade 5000 Mark von der Bank abgeholt, weil Sie ein gebrauchtes Auto kaufen wollen. Unterwegs begegnen Sie einem Bekannten und gehen eine Tasse Kaffee trinken. Beim Bezahlen bemerkt Ihr Bekannter, daß Ihre Brieftasche von Banknoten überquillt.

Wäre Ihnen das peinlich, und würden Sie sich schnell darum bemühen, eine Erklärung für dieses viele Geld zu finden, oder störte Sie der Umstand, so viel Geld dabeizuhaben, nicht im geringsten, und fühlten Sie sich nicht genötigt, etwas zu erklären?

(*Wenn Sie Geld verdienen oder sparen wollen, müssen Sie sich beim Gedanken an Geld wohlfühlen.* Wenn Ihnen dieser Gedanke unangenehm ist, werden Sie es bewußt oder unbewußt so anstellen, daß Sie am Ende ohne Geld dastehen.)

Situation B

Bei einer Party treffen Sie jemanden, der - ohne anzugeben - ganz sachlich bemerkt, daß es leicht sei, Geld zu machen, und daß ihm Geld aus beiden Ohren quille. Wie empfinden Sie diese Person und diese Bemerkung?

(*Wenn wir reich sein wollen, muß uns der Gedanke daran, daß andere reich sind, angenehm sein.* Wenn wir tief im Inneren der Meinung sind, daß reiche Leute nicht nett seien, dann bleiben wir arm, denn wir wollen uns doch nicht selbst hassen, oder etwa doch?)

Situation C

Sie gehen mit einem Bekannten einkaufen und stellen fest, daß Sie Ihr Geld zu Hause gelassen haben. Ihr Bekannter kann Ihnen für den Nachmittag etwas ausleihen. Würde es Ihnen etwas ausmachen, sich fünfzig Mark von ihm zu borgen? Würden Sie lieber nach Hause gehen und Ihr eigenes Geld holen?

(Das Gefühl, daß Sie es wert sind, daß Ihnen jemand aushilft, ist für Ihren Wohlstand wichtig. *Das Gefühl, daß Sie Hilfe und Geld verdient haben, ist wichtig, denn Ihr Wohlstand hängt davon ab, wieviel Sie annehmen können.*)

Situation D

Beim Griff in Ihre Tasche stellen Sie fest, daß Sie fünfhundert Mark verloren haben. Sagen Sie sich: "Nun ja, jemand anderer braucht das wohl mehr als ich," oder machen Sie sich einen Monat lang die Hölle heiß, weil Sie die Miete verloren haben?

(*Wenn wir zu sehr am Geld hängen, wird es schwierig, Geld zu verdienen und zu behalten.*)

Situation E

Stellen Sie sich vor, Sie verdienten in einem Monat mehr Geld, als Ihr Vater in einem Jahr. Was für ein Gefühl wäre das? Würden Sie sich "schuldig" fühlen, weil es Ihnen so gut geht? Was empfänden Sie bei dem Gedanken daran, daß er weiß, wie gut es Ihnen geht?

(Wenn Erfolg ein unangenehmes Gefühl verursacht, werden Sie sich davor in acht nehmen.)

Situation F

Viele Menschen verknüpfen Armut mit Spiritualität. Sie sind der Meinung, Armut sei tugendhaft.

Wie, glauben Sie, würde Gott reagieren, wenn er herausfände, daß Sie im Jahr eine halbe Million verdienen? Würde er sagen: "Was für ein gieriges Scheusal!", oder glauben Sie, er würde sagen: "Viel Glück! Du mußt deine Sache wohl gut gemacht haben"?

(Wenn es uns gut geht und wir keinen Mangel leiden, ist das ein Zeichen dafür, daß wir ausgeglichen sind. Spirituelle Schriften fordern uns dazu auf, den Armen zu geben, nicht dazu, uns ihnen anzuschließen.)

Was tun?

Hier ist eine kurze Liste von Dingen, die Sie zur Verbesserung Ihrer finanziellen Situation tun können.

1. **Fassen Sie den Entschluß, wohlhabend zu werden, und nehmen Sie sich vor, die dazu erforderliche Mühe auf sich zu nehmen.** Ich möchte betonen, daß Mühe sehr wichtig ist, aber nur in Kombination mit der richtigen Einstellung und dem entsprechenden Glauben.

2. **Sparen Sie zuerst und geben Sie aus, was übrig bleibt.** Arme Leute machen es umgekehrt. Sie geben zuerst Geld aus und denken sich, daß sie später sparen werden. Um wohlhabend zu werden, müssen Sie zuerst einen Plan machen und sich dann daran halten.

3. **Beobachten Sie reiche Leute.** Verbringen Sie Zeit mit Menschen, denen es gut geht. Finden Sie heraus, worin der Unterschied zwischen diesen und Ihnen besteht. Heben Sie die positiven und ansprechenden Punkte hervor. Seien Sie objektiv. Studieren Sie die Qualitäten und Eigenschaften, die diese Leute so in Schwung halten. Beobachten Sie genau. Prüfen Sie deren Einstellungen und lassen Sie diese auf sich abfärben.

4. **Bitten Sie um Hilfe.** Sie werden erstaunt sein, wieviel Hilfe andere Menschen anzubieten bereit sind, wenn sie feststelen, daß Sie sich wirklich selbst helfen wollen. Um Hilfe bitten können fördert Ihre Fähigkeit zu empfangen.

5. **Bestätigen Sie sich selbst immer wieder, daß Sie es verdienen, wohlhabend zu sein.**

6. Verwöhnen Sie sich von Zeit zu Zeit. Die Einsicht, daß Sie es sich leisten können, sich zu verwöhnen, gehört zum Prozeß des Finanziell-unabhängig-Werdens. Indem Sie sich an dem Geld erfreuen, das Sie haben, erhalten Sie außerdem den Ansporn, mehr zu verdienen.

7. Machen Sie Pläne und setzen Sie sich Ziele.

8. Revidieren (erweitern) Sie ständig Ihre Glaubenssätze über das, was Sie für erreichbar halten. Es gibt Hunderte von Büchern und Kassetten zum Thema Erfolgreichsein. Wenn Ihnen ein Buch oder eine Kassette auch nur *eine* gute Idee vermittelt, haben sich die Mühe und die Ausgaben dafür gelohnt.

9. Tragen Sie immer etwas Geld mit sich herum. Aus drei Gründen: Erstens fühlen Sie sich so wohlhabender. Zweitens gewöhnen Sie sich so daran, Geld zu haben. Drittens lernen Sie, sich beim Umgang mit Geld zu vertrauen. Außerdem können Sie sich so die Angst vor Geldverlust abgewöhnen, denn auch das ist wichtig, wenn Sie wohlhabend werden wollen.

Manche Menschen sagen: "Ich darf kein Geld bei mir tragen. Ich gebe es sonst nur aus." Nun, wie können sie je hoffen, Geld zu haben, wenn sie sich den Umgang mit Geld nicht zutrauen?

10. Machen Sie weder Ihren Partner noch das Wetter, die Wirtschaft, die Regierung, Ihren Beruf, Ihre Ausbildung oder Ihre Schwiegermutter für Ihr Wohlergehen verantwortlich.

11. Begegnen Sie jeder Herausforderung mit Begeisterung und Hingabe. Es entbehrt nicht einer gewissen Ironie, daß die meisten reichen Leute fanden, daß sie erst dann richtig viel Geld verdienten, als sie nicht mehr dafür arbeiteten.

12. Sehen Sie ein, daß Armut eine geistige Krankheit ist. Wie andere Krankheiten ist sie heilbar für diejenigen, die sie für heilbar halten. Wie bei anderen Krankheiten bedarf es zu ihrer Überwindung einer gewissen Anstrengung, Initiative und Mut. Und wenn Sie aufgeben, geraten Sie erst recht in Schwierigkeiten!

Es ist anregend zu erkennen, daß fast alle glücklichen und wohlhabenden Leute diese Krankheit zu irgendeiner Zeit in ihrem Leben überwinden mußten. Auch Sie können das schaffen!

Kapitel 2

Im Jetzt leben

Leben Sie jetzt!

Warten, daß etwas geschieht

Versöhnlichkeit

Glücklich sein

Vom Umgang mit Depression

Humor

Wir haben nichts außer der Gegenwart.

Leben Sie jetzt!

Das Jetzt ist die einzige Zeit, die wir haben. Das Maß unseres Seelenfriedens und unserer persönlichen Leistungsfähigkeit hängt davon ab, wie sehr wir im gegenwärtigen Augenblick leben können. Gleich was gestern geschah und was morgen eintreffen könnte: Sie befinden sich im *Jetzt*. Von diesem Standpunkt aus gesehen liegt der Schlüssel zu Glück und Zufriedenheit darin, daß wir unser Denken auf den gegenwärtigen Augenblick richten!

Mit das schönste an kleinen Kindern ist, daß sie vollständig im gegenwärtigen Augenblick aufgehen. Sie geben sich dem, was sie gerade tun, worauf sich ihre Energie gerade richtet, vollständig hin, ob sie nun einen Käfer beobachten, ein Bild malen oder eine Sandburg bauen.

Wenn wir erwachsen werden, erlernen viele von uns die Kunst, über mehrere Dinge gleichzeitig nachzudenken und sich Sorgen zu machen. Wir lassen es zu, daß sich die Vergangenheit und die Zukunftssorgen so stark in unsere Gegenwart drängen, daß wir deprimiert und ineffektiv werden.

Wir lernen auch, unser Vergnügen und unsere Freude auf später zu verschieben, und sind dabei oft der Meinung, daß irgendwann in der Zukunft alles viel besser wird als jetzt.

Der Gymnasiast denkt: "Wenn ich nur erst einmal aus dieser Schule bin und nicht mehr alles machen muß, was man mir sagt, dann ist alles gut." Wenn er die Schule hinter sich hat, merkt er dann plötzlich, daß er nicht froh sein kann, bis er von zu Hause ausgezogen ist. Dann geht er zur Universität und beschließt bald: "Wenn ich meinen Studienabschluß habe, dann werde ich glücklich und zufrieden sein!" Irgendwann ist das Studium dann abgeschlossen, und jetzt merkt er, daß er nicht glücklich sein kann, bis er eine Arbeitsstelle gefunden hat.

Er findet Arbeit und muß auf der untersten Sprosse der Aufstiegsleiter beginnen. Sie haben es erraten: Er kann immer noch nicht glücklich sein. Im Laufe der Jahre verschiebt er sein Glück und seinen Seelenfrieden, bis er verlobt, verheiratet ist, sein eigenes Haus hat, eine bessere Stellung bekommt, eine Familie gründet, die Kinder in die Schule gehen, bis er sein Haus abbezahlt hat, die Kinder aus der Schule sind, er pensioniert ist ... Und er fällt tot um, bevor er sich erlaubt, einmal wunschlos glücklich zu sein. Jeder Augenblick seiner Gegenwart verging mit dem Planen einer wunderschönen Zukunft, die nie eintraf.

Erkennen Sie sich in dieser Geschichte wieder? Kennen Sie jemanden, der das Glücklichsein immer auf später verschiebt? Glücklichsein hat damit zu tun, daß Sie ganz in der Gegenwart leben. Wir (sollten) beschließen, bereits auf dem Weg glücklich zu sein, nicht erst wenn wir am Ziel angelangt sind.

In ähnlicher Weise nehmen wir uns oft auch nicht genug Zeit für die Menschen, die uns am meisten bedeuten. Vor einigen Jahren wurde in den Vereinigten Staaten eine Untersuchung durchgeführt, die darauf abzielte herauszufinden, wieviel Zeit Väter aus der Mittelschicht wirklich ihren Kindern widmen. Die Teilnehmer trugen Mikrophone an ihren Hemden, mit deren Hilfe sich feststellen ließ, wieviel Kommunikation zwischen Vater und Kind täglich stattfand.

Die Studie ergab, daß sich der durchschnittliche Vater aus der Mittelschicht ungefähr siebenunddreißig Sekunden pro Tag seinem Kind widmet. Zweifellos hatten viele der beteiligten Väter großartige Pläne für die Zeit, die sie mit ihren Lieben verbringen würden, "wenn das Haus einmal fertig ist", "der Druck am Arbeitsplatz nachläßt", "ein paar Ersparnisse auf der Bank zurückgelegt sind" ... *Der springende Punkt ist, daß keiner von uns die Garantie hat, daß wir morgen noch hier sind. Die einzige Zeit, die wir haben, ist das Jetzt.*

Im Jetzt leben heißt auch Freude an dem haben, was wir gerade tun, und nicht nur am Endergebnis. Wenn Sie zufällig gerade Ihren Balkon streichen, können Sie beschließen, jeden Pinselstrich zu genießen: Alles zu lernen, was es in bezug auf diese Arbeit zu wissen gibt, sich dabei ständig der Brise auf Ihrer Haut, des Vogelgezwitschers in den Bäumen und alles anderen bewußt zu sein.

Im Jetzt leben heißt nicht abschalten, sondern hat mit Bewußtseinserweiterung zu tun und läßt den gegenwärtigen Augenblick köstlicher werden. Jeder von uns hat in jedem Augenblick die Wahl zu beschließen, ob er wirklich leben, aufnehmen und sich be- und anrühren lassen will.

Wenn wir in der Gegenwart leben, schlagen wir uns die Angst aus dem Sinn. Angst bedeutet im wesentlichen, sich um mögliche zukünftige Ereignisse zu sorgen. Diese Sorgen können so lähmend werden, daß es uns fast unmöglich wird, etwas Konstruktives zu unternehmen.

Intensive Angst kann Sie jedoch nur erreichen, wenn Sie nicht tätig sind. Sowie Sie die Initiative ergreifen und tatsächlich *etwas unternehmen,* läßt die Angst nach. Im Jetzt leben heißt die Initiative ergreifen, ohne vor den Konsequenzen Angst zu haben. Man gibt sich Mühe, weil man dabei sein will, und macht sich keine Gedanken darüber, ob einem die gerechte Belohnung zufällt oder nicht.

Es ist wichtig zu bedenken, daß sich ein Etwas nicht durch ein Nichts ersetzen läßt. Wenn Sie sich Sorgen machen, weil zum Beispiel Ihr Auto explodiert ist, Sie Ihre Stelle verloren haben oder Ihre Frau Sie verlassen hat, ist es nicht leicht, sich den Kopf freizumachen und Seelenfrieden zu finden. Am leichtesten läßt sich dieser Geisteszustand beheben, wenn Sie aktiv werden, sich engagieren, teilnehmen. *Tun Sie etwas! Egal was.*

Rufen Sie alte Freunde an, lernen Sie neue Leute kennen, treiben Sie Sport, gehen Sie mit den Kindern in den Park oder helfen Sie den Nachbarn im Garten.

Des Pudels Kern

Zeit besteht nur in der Form eines abstrakten Konzepts in Ihrem Kopf. Der gegenwärtige Augenblick ist die einzige Zeit, die Sie wirklich haben. Machen Sie etwas daraus!

Mark Twain bemerkte einmal, daß er in seinem Leben schreckliche Dinge durchgemacht habe, von denen einige tatsächlich eingetroffen seien. Ist das nicht wahr?

Wenn wir oft daran denken, was alles passieren *könnte,* machen wir uns selbst die Hölle heiß. Betrachten wir jedoch den gegenwärtigen Augenblick, außer dem wir wirklich nichts haben, gibt es überhaupt kein Problem.

Leben Sie im Jetzt!

Warten, daß etwas geschieht

I st Ihnen je aufgefallen, daß das Taxi ewig nicht kommt, wenn Sie nur dasitzen und darauf warten? Das gilt wohl auch für andere Dinge, auf die wir warten. Deshalb das Sprichwort: "Ein Kessel, den jemand beobachtet, kommt nie zum Kochen."

Vielleicht haben Sie auch schon einmal viel zu lange auf einen Telefonanruf warten müssen. Nach einer Wartezeit, die Ihnen wie Stunden vorkam, beschlossen Sie, sich in der Zwischenzeit mit etwas anderem zu beschäftigen, und schon war der Anruf da!

Wann immer wir auf Briefe, Leute, die richtige Arbeit, den perfekten Partner, irgendein wunderbares Abenteuer, die Vorspeise im Restaurant oder sonst etwas Gewünschtes warten, dauert es immer lange. Manchmal kommt es nie.

Hier ist ein Prinzip am Werk, das uns sagt: "Lebe dein Leben im Jetzt und schau, daß du vorankommst. Warte nicht mit angehaltenem Atem darauf, daß etwas passiert." Wenn wir uns sagen: "Um glücklich und zufrieden zu sein, muß ich X haben", dann kann es sehr wohl sein, daß die Umstände uns vom Gegenteil überzeugen, indem sie alles ganz anders arrangieren.

Des Pudels Kern

Springen Sie bei jeder Gelegenheit voll ins Leben. Leben Sie im Jetzt. Unternehmen Sie etwas, während Sie auf etwas Bestimmtes warten. Wenn Sie darauf warten, daß Hollywood Ihr außergewöhnliches Talent entdeckt, lernen Sie solange Korbflechten! Wenn Ihr Freund Sie zu spät zum Ball abholt, lesen Sie etwas, ordnen Sie Ihr Photoalbum, oder backen Sie einen Kuchen, bis er kommt.

Damit demonstrieren Sie, daß Sie sich nicht zu sehr an die Ergebnisse klammern.

Loslassen der Situation beschleunigt die Ergebnisse.

Versöhnlichkeit

Wer beschließt, sich selbst oder jemand anderem zu vergeben, entscheidet sich damit für ein Leben im gegenwärtigen Augenblick.

"Das verzeihe ich meiner Mutter nie!"

"Das kann ich mir einfach nicht verzeihen!"

Hört sich das bekannt an? Wenn wir uns weigern, jemandem zu verzeihen, sagen wir in Wirklichkeit: "Ich unternehme nichts dafür, daß die Dinge besser werden, ich bleibe lieber in der Vergangenheit haften und gebe jemandem (oder mir selbst) die Schuld dafür." Wenn wir uns selbst nicht verzeihen, beschließen wir damit in Wirklichkeit, an unseren Schuldgefühlen festzuhalten, damit wir uns eine extra Portion Seelenqualen verabreichen können.

Anderen vergeben

Manche Menschen verstehen Vergebung anscheinend genau verkehrt herum. Sie glauben, wenn sie ihrer Mutter nicht verzeihen, daß sie so gemein war, sei das das Problem ihrer Mutter. Es ist aber nicht das Problem ihrer Mutter, sondern ihr eigenes! Wenn wir nicht verzeihen, leiden *wir*. Meistens weiß die "schuldige" Person noch nicht einmal, was in unserem Kopf vor sich geht! Die "Schuldigen" machen sich ein schönes Leben, und wir verschaffen uns Seelenqualen.

Wenn ich mich weigere, meinem Schwager zu verzeihen, daß er mich nicht zu seiner Weihnachtsfeier eingeladen hat, bin *ich* derjenige, der leidet. *Er* bekommt weder ein Magengeschwür noch Schlafstörungen, er ist nicht außer sich, und er hat auch keinen schlechten Geschmack im Mund. Ich bin es, dem all das passiert. Es ist nicht verwunderlich, daß uns geraten wird, "denen zu vergeben, die uns Unrecht getan haben". Nur so können wir weiterhin glücklich und gesund bleiben. Nicht vergeben ist eine der Hauptursachen für Krankheiten, denn saure Gedanken führen zu einer Übersäuerung des Körpers.

Außerdem gestehen wir uns, solange wir andere Menschen für unser Unglück verantwortlich machen, unsere Eigenverantwortlichkeit nicht ein. Die Schuld bei anderen zu suchen hat noch nie jemanden vorangebracht. In dem Augenblick, in dem wir anderen nicht mehr die Schuld zuschieben, sind wir in der Lage, etwas zur Verbesserung der Situation zu unternehmen. Andere beschuldigen ist eine Ausrede dafür, nichts zu unternehmen - eine Ausrede dafür, nicht aktiv zu werden.

Fritz wendet nun vielleicht ein: "Verzeihen kann ich dir, aber vergessen kann ich das nie." Was er damit in Wirklichkeit sagt, ist: "Ich verzeihe dir ein bißchen, aber an einem Teil dieser Geschichte möchte ich lieber festhalten, für den Fall, daß es mir einmal gelegen kommt, dich später daran zu erinnern." Echtes Verzeihen bedeutet Loslassen.

Die Einsicht, daß wir alle unser Leben so gut gestalten, wie wir eben können, ist meiner Ansicht nach sehr wichtig. Wir machen im Laufe der Zeit viele Fehler, manchmal handeln wir auf Grund einer falschen Information, und manchmal begehen wir Dummheiten, und doch tun wir immer unser Bestes. Niemand öffnet bei der Geburt seine Augen und sagt: "Großartig! Hier ist also meine Chance, mein Leben zu vermasseln!"

Unsere Eltern erzogen uns nach bestem Wissen und Gewissen. Sie wagten sich mit Hilfe der ihnen zur Verfügung stehenden Information und der von ihnen erlebten Vorbilder ins Neuland "Elternschaft" hinaus. Ihnen unaufhörlich die Schuld dafür zuzuschieben, daß sie ihre Aufgabe als Eltern schlecht gemacht hätten, ist sinnlos und destruktiv.

Manche Leuten vergeben ihren Eltern nie und vermasseln ihr Leben, nur um ihren Eltern zu zeigen, wie schlecht sie ihre Aufgabe lösten! Ihre Botschaft lautet: "Ihr seid schuld, daß ich pleite, einsam und unglücklich bin, deshalb müßt ihr jetzt zuschauen, wie ich leide!"

Anderen die Schuld zuschieben führt nirgendwo hin. Was geschehen ist, ist geschehen. Darüber zu jammern ändert nichts daran. Über das Wetter zu schimpfen hat noch nie jemandem geholfen. Dasselbe gilt für unsere Mitmenschen.

Wenn wir uns entschließen zu vergeben, wird ein wunderbares Prinzip aktiviert. Wenn wir uns verändern, verändern sich auch die anderen. Wenn wir unsere Einstellung anderen gegenüber verändern, ändert sich deren Verhalten. Irgendwie reagieren andere Menschen auf unsere veränderten Erwartungen, sobald wir die Dinge auf neue Art betrachten.

Uns selbst vergeben

Anderen vergeben ist schwer, sich selbst vergeben ist schwerer. Viele Menschen bestrafen sich ihr ganzes Leben lang seelisch und körperlich für ihre eingebildeten Mängel. Manche essen zu viel, andere zu wenig, manche suchen Vergessen durch Trinken, andere zerstören systematisch jede Beziehung, manche leben in Armut und Krankheit. An der Wurzel dieses Übels mag eine Überzeugung liegen, die besagt: "Ich bin oft böse gewesen", "ich fühle mich schuldig" oder "ich habe Gesundheit und Glück nicht verdient". Es würde Sie überraschen zu erfahren, wie viele Kranke nicht davon überzeugt sind, daß es ihnen zusteht, gesund und glücklich zu sein!

Wenn Sie sich schuldig fühlen, dann, meine ich, haben Sie schon genug durchgemacht. Warum noch weiter leiden? Wenn Sie sich noch ein oder zwei Jahre länger schuldig fühlen, werden die Dinge auch nicht besser.

Laden Sie Ihre Schuld ab. Das ist zwar nicht immer leicht. Es kostet Mühe, seine Gedanken gesund zu erhalten, und es kostet Mühe, seinen Körper gesund zu erhalten. Aber die Anstrengung lohnt sich.

Des Pudels Kern

Anderen Schuld aufladen und sich selbst schuldig fühlen ist sowohl gefährlich als auch destruktiv. Während wir die Schuld bei Gott, anderen Menschen oder uns selbst suchen, vermeiden wir das eigentliche Problem, das darin besteht, etwas zu unternehmen. Ob wir mit unserem Leben etwas anfangen und in der Gegenwart leben oder ob wir uns an den Groll und die Bestürzung der Vergangenheit fesseln, ist *unsere eigene Entscheidung.*

Glücklich sein

"Die meisten Menschen sind so glücklich, wie sie innerlich zu sein beschlossen haben", sagte Abraham Lincoln. Unser Glück wird nicht durch die Ereignisse selbst, sondern durch unsere Reaktion auf dieselben bestimmt.

Wenn Fritz seine Arbeitsstelle verliert, könnte er beschließen, daß er jetzt die Gelegenheit hat, neue Erfahrungen zu sammeln, neue Möglichkeiten auszukundschaften oder selbständig zu arbeiten. Sein Bruder Karl kann sich unter denselben Umständen dazu entschließen, Schluß zu machen und vom zwanzigsten Stock eines Wolkenkratzers zu springen. In derselben Situation freut sich der eine Mensch, während der andere Selbstmord begeht! Einer sieht eine Katastrophe, ein anderer einen Neubeginn.

Wenn ich die Dinge hier etwas vereinfacht darstelle, ändert das doch nichts an der Tatsache, daß es an uns liegt, wie wir auf unsere Lebensumstände reagieren. (Sogar wenn wir ganz außer Fassung geraten, ist das unser eigener Entschluß. Wir beschließen vielleicht: "Jetzt wird mir alles zuviel. Das beste wird sein, ich gerate eine Zeitlang vollkommen aus dem Häuschen!")

Glücklich zu sein ist jedoch nicht immer leicht. Es kann zu den größten Herausforderungen gehören, denen wir uns gegenübersehen, und kann manchmal alle Entschlossenheit, Ausdauer und Selbstdisziplin erfordern, deren wir fähig sind. Erwachsen zu sein bedeutet, die Verantwortung für unser Glück zu übernehmen und zu beschließen, sich auf das zu konzentrieren, was wir haben, und nicht auf das, was uns fehlt.

Da wir entscheiden, welche Gedanken wir denken, haben wir die Kontrolle über unser Glück. Kein anderer gibt uns Gedanken ein. Um glücklich zu sein, müssen wir uns auf glückliche Gedanken konzentrieren. Wie oft tun wir jedoch genau das Gegenteil? Wie oft ignorieren wir die Komplimente, die man uns macht, und beschäftigen uns noch Wochen später mit einer unfreundlichen Bemerkung? Wenn Sie einer schlechten Erfahrung oder einer bösen Bemerkung erlauben, Ihre Gedanken zu beschäftigen, werden Sie die Konsequenzen zu tragen haben. Denken Sie daran. Die Kontrolle über Ihr Denken liegt bei Ihnen.

Die meisten Menschen erinnern sich an Komplimente ein paar Minuten und an Beleidigungen jahrelang. Sie sammeln Abfall und tragen Mist mit sich herum, der ihnen zwanzig Jahre zuvor an den Kopf geworfen wurde. Maria läßt vielleicht verlauten: "Ich erinnere mich noch, wie er mir 1963 sagte, ich sei dick und doof!" Die Komplimente, die ihr seitdem, vielleicht sogar erst gestern, gemacht wurden, sind vergessen, den Abfall von 1963 schiebt sie aber heute noch mit sich herum.

"Sei glücklich, oder es passiert etwas!"

Ich erinnere mich daran, wie ich im Alter von fünfundzwanzig Jahren eines Tages aufwachte und beschloß, daß ich mich jetzt lange genug elend gefühlt hätte. Ich dachte mir: "Wenn du eines Tages doch wirklich glücklich sein willst, warum dann nicht heute damit beginnen?" An diesem Tag beschloß ich, viel glücklicher zu sein, als ich je zuvor gewesen war. Ich war absolut verblüfft, daß es tatsächlich funktionierte!

Danach begann ich, andere glückliche Menschen nach dem Geheimnis ihres Glücks zu fragen. Und ihre Antwort spiegelte unweigerlich meine eigene Erfahrung wider. Sie sagten Dinge wie diese: "Ich hatte vom Elend, Herzeleid und Einsamsein genug, und ich *beschloß*, das alles zu ändern."

Des Pudels Kern

Glücklich sein bedeutet manchmal harte Arbeit. Es ist wie das Aufrechterhalten eines schönen Heims – man muß die Schätze aufbewahren und den Abfall hinauswerfen. Um glücklich zu sein, muß man nach guten Dingen suchen.
Ein Mensch sieht die schöne Aussicht, der andere das schmutzige Fenster. Sie bestimmen, was Sie sehen, und auch, was Sie denken.

Kazantzakis sagte: "Sie haben Ihre Pinsel und Farben. Sie malen das Paradies, und dann betreten Sie es."

Vollkommenheit und Glücklichsein

Wenn wir unglücklich sind, dann deshalb, weil unser Leben nicht so verläuft, wie wir es uns wünschen. Das Leben entspricht unseren Erwartungen nicht, es ist nicht, wie es sein "sollte", und deshalb sind wir unglücklich.

Also sagen wir: "Ich werde glücklich sein, wenn ..." Nun, das Leben ist *nicht* vollkommen. Zum Leben gehören Heiterkeit und Frustration, Erfolgreichsein und Leerausgehen. Solange wir sagen: "Ich werde glücklich sein, wenn nur erst ...", täuschen wir uns selbst.

Man muß beschließen, glücklich zu sein. Manche Menschen leben, als gelangten sie eines Tages zu ihrem Glück, so wie man an eine Bushaltestelle gelangt. Sie denken, eines Tages werde einfach alles in Ordnung kommen, sie würden tief aufatmen und sagen: "Jetzt habe ich es endlich geschafft ...und bin glücklich!" Die Geschichte ihres Lebens lautet also: "Ich werde glücklich sein, wenn ..."

Jeder von uns muß einen Entschluß fassen. Sind wir bereit, uns täglich daran zu erinnern, daß uns nur eine begrenzte Zeit zur Verfügung steht, um das Beste aus dem zu machen, was wir haben, oder vertrödeln wir unsere Gegenwart mit dem Warten auf eine bessere Zukunft?

Der folgende Text ist sehr aufschlußreich. Ein fünfundachtzigjähriger Mann schrieb ihn, als er sich darüber klar wurde, daß er im Sterben lag.

"Wenn ich mein Leben noch einmal leben könnte, würde ich versuchen, das nächste Mal mehr Fehler zu machen. Ich wäre nicht so perfekt, würde die Dinge leichter nehmen und lockerer leben. Ich würde mehr Dummheiten machen als auf dieser Reise. Tatsächlich gibt es nur weniges, was ich wirklich ernst nehmen würde. Ich wäre viel verrückter und weniger hygienisch.

Ich würde mehr riskieren und mehr reisen. Ich würde mehr Berge ersteigen und in mehr Flüssen schwimmen, mehr Orte besuchen, an denen ich nie gewesen bin. Ich würde mehr Eis essen und weniger Bohnen.

Ich würde mehr in tatsächliche Schwierigkeiten geraten und weniger eingebildete Probleme haben!

Sehen Sie, ich war einer von denen, die vorbeugend leben und immer vernünftig sind und Stunde um Stunde, Tag für Tag normal. Es gab schon besondere Augenblicke, und wenn ich es noch einmal tun könnte, hätte ich mehr solcher Augenblicke - einen nach dem anderen.

Ich war einer von denen, die immer mit Thermometer, Wärmflasche, Gurgelwasser, Regenmantel und Fallschirm reisten. Wenn ich es noch einmal zu tun hätte, würde ich das nächste Mal leichter reisen.

Wenn ich es noch einmal zu tun hätte, würde ich im Frühjahr früher barfuß gehen und im Herbst länger draußen bleiben. Ich würde mehr Karussell fahren, mehr Sonnenaufgänge beobachten, mehr mit Kindern spielen, wenn ich mein Leben noch einmal leben könnte.

Aber sehen Sie, das kann ich eben nicht."

Ist diese Botschaft nicht ein wunderschöner Hinweis? Wir sind nur vorübergehend auf diesem Planeten. Wir sollten das Beste daraus machen. Der alte Mann erkannte, daß es, um glücklicher zu sein und mehr vom Leben zu haben, nicht notwendig ist, die Welt zu verändern. Die Welt ist bereits wunderschön. Er hätte sich selbst ändern sollen.

Die Welt ist nicht "perfekt". Der Unterschied zwischen dem, wie die Dinge sind, und dem, wie sie sein "sollten", bestimmt das Maß unseres Unglücks. Wenn wir nicht länger fordern, daß die Dinge perfekt sind, erleichert das unseren Vorsatz, glücklich zu sein. Dann beschließen wir, daß wir manche Dinge lieber auf eine bestimmte Art hätten, daß wir aber, wenn diese Wünsche nicht erfüllt werden, trotzdem glücklich sind.

Wie der indische Guru seinem Schüler riet, der verzweifelt nach Zufriedenheit suchte: "Ich werde dir ein Geheimnis verraten. Wenn du glücklich sein willst, *sei glücklich!"*

Vom Umgang mit Depression

Jeder von uns erlebt Zeiten, in denen das Leben außerordentlich schwierig ist – wir werden verlassen, können unsere Rechnungen nicht bezahlen, haben keine Arbeit, haben einen geliebten Menschen verloren. Zu diesen Zeiten fragen wir uns, wie wir nur die nächste Woche überstehen sollen. Irgendwie gelingt uns das im allgemeinen!

Es ist möglich, die Perspektive zu verlieren und schwärzer zu sehen, als die Dinge wirklich sind. Wir schauen einer Zukunft entgegen, die ein wahres Minenfeld an Problemen ist, und fragen uns, wie ein Menschenwesen denn mit dem fertigwerden kann, was uns bevorsteht.

Ein Mensch, der eine eintägige Wanderung beginnt, wäre ungeschickt, wenn er dazu den Proviant für ein ganzes Leben mit sich trüge. Ist es nicht merkwürdig, daß manche Menschen die gesammelten Probleme der nächsten fünfundzwanzig Jahre mit sich tragen und sich wundern, warum das Leben so schwierig ist? Wir sind so angelegt, daß wir nicht mehr als vierundzwanzig Stunden auf einmal leben sollten. Es ist sinnlos, sich heute wegen der Probleme von morgen zu sorgen.

Wenn Sie das nächste Mal der Verzweiflung nahe sind, stellen Sie sich die folgenden Fragen:

Habe ich genug Luft zum Atmen? Habe ich für heute genug zu essen? (Lautet die Antwort "ja", dann sieht die Lage schon viel besser aus.)

Oft übersehen wir die Tatsache, daß unsere wichtigsten Bedürfnisse gestillt sind. Ich mag die Geschichte von dem Mann, der Dr. Robert Schuller anrief. Die Unterhaltung verlief ungefähr so:

Der Mann sagte: "Es ist alles vorbei. Ich bin am Ende. Mein ganzes Geld ist verloren. Ich habe meinen gesamten Besitz verloren."

Dr. Schuller fragte: "Können Sie noch sehen?"

Der Mann antwortete: "Ja, ich kann noch sehen."

Schuller fragte: "Können Sie noch gehen?"

Der Mann sagte: "Ja, gehen kann ich noch."

Schuller bemerkte: "Offensichtlich können Sie auch noch hören, sonst hätten Sie mich nicht angerufen."

"Ja, hören kann ich noch."

"Nun," sagte Schuller, "dann kommt es mir so vor, als sei Ihnen noch so ziemlich alles erhalten geblieben. Das einzige, was Ihnen verloren ging, ist Ihr Geld!"

Eine andere bedenkenswerte Frage lautet: "Was kann im schlimmsten Fall passieren? Und wenn das einträte, wäre ich dann noch am Leben?" Häufig sehen wir die Dinge viel schlimmer, als sie sind. Das Schlimmste, was uns passieren könnte, ist wahrscheinlich sehr unangenehm, aber es ist nicht das Ende der Welt.

Die nächste Frage sollte dann sein: "Nehme ich mich zu ernst?" Ist Ihnen je aufgefallen, daß uns etwas, an das unsere Freunde keine zwei Sekunden verschwenden, eine Woche

lang den Schlaf rauben kann? Der Grund dafür ist oft, daß wir uns zu ernst nehmen. Wir denken, die ganze Welt beobachte uns. Dem ist nicht so. Und wenn dem so wäre, was dann? Zweifellos leben Sie Ihr Leben, so gut Sie es eben können.

Nächste Frage: "Was kann ich aus dieser Situation lernen?" Im Rückblick, beim Blick durch ein "Retrospectoskop", gibt es im allgemeinen viel aus den schwierigen Zeiten zu lernen. Die Schwierigkeit besteht darin, das Gleichgewicht nicht zu verlieren und so viel Durchblick zu behalten, daß wir lernen können, während wir leiden - oder herausfinden, warum. Die glücklichsten Menschen sind anscheinend immer imstande, schwierige Zeiten als wertvolle Lehren anzunehmen. Sie halten den Kopf hoch, lächeln und wissen, daß die Dinge im Laufe der Zeit schon besser werden und daß sie aus diesen Zeiten der Prüfung als bessere Menschen hervorgehen. Das ist natürlich leichter gesagt als getan!

Noch eine Frage: "Wenn die Lage wirklich ernst ist, sind die nächsten fünf Minuten noch in Ordnung?" Wenn Sie diese fünf Minuten überstanden haben, dann legen Sie es darauf an, die nächsten fünf zu überstehen. Nehmen Sie einen kleinen Bissen nach dem anderen, das erspart Ihnen viele Verdauungsbeschwerden. Und beschäftigen Sie sich mit etwas. Suchen Sie sich eine Aufgabe für die nächsten fünf Minuten, der Sie sich voll widmen können. Wir fühlen uns immer so viel besser, wenn wir etwas zu tun haben.

Was kann ich sonst noch tun?

Wahrscheinlich fällt es uns am leichtesten, uns besser zu fühlen, wenn wir für andere etwas tun. Übermäßige Sorgen und Selbstmitleid entstehen, wenn wir uns zu viel mit uns selbst beschäftigen. Sobald Sie beginnen, andere Menschen glücklich zu machen - ob Sie Ihnen nun einen Strauß Blumen schicken, den Garten umgraben oder einfach Zeit mit ihnen verbringen - fühlen Sie sich gleich besser! Das geschieht automatisch. Es ist ganz einfach. Und wunderbar.

Des Pudels Kern

Katastrophen sind nicht so katastrophal, wenn wir sie Stück für Stück angehen. Je schneller wir erkennen, welchen Gewinn wir aus einer Situation ziehen können, desto leichter werden wir damit fertig.

Humor

Norman Cousin beschreibt in seinem Buch *Anatomy of an Illness*, wie er sich von einer verkrüppelnden Krankheit erholte und in ein gesundes, normales Leben zurückfand. Seine Hauptmedizin: Lachen in großen Dosen. Cousin glaubte, seine Krankheit sei dadurch beschleunigt worden, daß er das Leben so ernst nahm, und dachte sich, er könne diesen Zustand durch Lachen umkehren. Er schaute sich Filme der Marx-Brothers und "Versteckte-Kamera"-Videos an, bis sowohl die Symptome als auch die Schmerzen verschwanden. Er bewies, was die Leute seit Jahren sagen: "Lachen ist die beste Medizin."

Lachen ist eine Wohltat für Körper und Geist, denn es löst allerlei wunderbare Ereignisse aus. Ihr Gehirn setzt Endorphine frei, die Ihnen ein "natürliches Hoch" (*natural high*) verschaffen, und Ihr Atemsystem bekommt soviel Übung wie bei einem Dauerlauf.

Lachen lindert Schmerzen. Sie können nur lachen, wenn Sie entspannt sind, und je entspannter Sie sind, desto weniger Schmerzen fühlen Sie; Witzbücher und Komödien sind die idealen Schmerzlinderungsmittel. Tatsächlich ist es unmöglich, ein Magengeschwür zu bekommen und gleichzeitig zu lachen - Sie müssen sich für das eine oder das andere entscheiden. Dasselbe gilt für andere Krankheiten. Oft werden wir krank, weil wir uns und andere zu ernst nehmen. Um uns gesund zu halten, müssen wir lachen.

Nehmen wir an, Sie sind pleite, haben gerade Ihr Auto zu Schrott gefahren, die Scheidung ist in vollem Gange, und das Dach ist undicht. Wenn schon all diese Dinge passieren, warum dann alles noch schlimmer machen und auch noch unglücklich sein?

Die Kunst des Glücklichseins macht es erforderlich, über Schwierigkeiten so bald wie möglich nach deren Auftauchen zu lachen. Ein Mensch, der in die vorher beschriebene Lage geraten ist, weigert sich vielleicht zwei Jahre lang, zu lachen. Ein anderer beschließt vielleicht nach zwei Wochen, daß es an der Zeit ist, mit Weinen aufzuhören und mit Lachen anzufangen. Dafür darf der erstere fünfzig Mal länger unglücklich bleiben als der andere. *Und das hat er sich ausgesucht.*

Wir alle erleben Mißgeschicke. *Glückliche Menschen brauchen nicht allzu lange, um die komische Seite ihrer Enttäuschungen zu sehen.*

Wir sollten uns von Zeit zu Zeit daran erinnern, daß wir Menschen sind und Dummheiten begehen. Wenn Sie erwarten, vollkommen zu sein, gehören Sie nicht auf diesen Planeten. Wir wollen uns vor Augen halten, daß uns unsere eigenen Probleme immer gewichtiger erscheinen als allen anderen. Wenn es niemand anderem den Schlaf raubt, brauchen wir vielleicht auch keine schlaflose Nacht damit zu verbringen.

Kinder können uns viel über das Lachen beibringen. Glückliche Kinder lachen natürlich und ungeniert über fast alles. Sie scheinen intuitiv zu wissen, daß ein Lachen aus vollem Bauch sie gesund und ausgeglichen erhält. Sie haben ein unersättliches Verlangen nach Spaß und Freude. Es ist schade, daß wir diese Haltung, sobald wir erwachsen werden, häufig durch eine andere ersetzen, die sagt: "Das Leben ist ernst". Die Erwachsenen verbringen viel Zeit damit, Kindern beizubringen, wann es nicht angebracht ist, zu kichern und zu lachen - "Lache nicht im Unterricht, kichere nicht beim Abendessen" -, bis der größte Teil ihrer natürlichen Spontaneität verschwunden ist.

Eine unserer wichtigsten Verantwortlichkeiten anderen gegenüber besteht darin, uns zu freuen. Wenn wir Spaß haben, fühlen wir uns besser, arbeiten wir besser, und andere Leute sind gerne um uns herum.

Des Pudels Kern

Das Leben ist wirklich nicht *soo* schlimm. Wir sollten den Humor etwas ernster nehmen.

Kapitel 3

Ihr Geist

Unsere vorherrschenden Gedanken geben die Richtung an

Ihr Unterbewußtsein

Vorstellungskraft

Mentales Training

Was wir erwarten, stellt sich ein

Das Gesetz der Anziehungskraft

Hören Sie auf Menschen, deren Leben gut läuft

Was wir fürchten, ziehen wir an

Die Macht des Wortes

Dankbarkeit

Gedanken sind unsichtbare Wolken, die ausziehen und uns Ergebnisse zuführen. Sie bestimmen, was wir ernten.

Unsere vorherrschenden Gedanken geben die Richtung an

Lassen Sie uns einmal bedenken, welchen Einfluß das, womit wir uns gedanklich beschäftigen, auf unser Leben hat. Das wohl wichtigste Prinzip zum Verständnis Ihres Geistes lautet: Was Sie gedanklich am meisten beschäftigt, bestimmt die Richtung, in die Sie sich bewegen.

Vor kurzem begegnete ich einer Frau, die mir erzählte: "Als ich jung war, schwor ich mir, nie einen Mann namens Schmidt oder einen jüngeren Mann zu heiraten und mein Geld nie durch Tellerwaschen zu verdienen. Und doch habe ich all dies getan."

Wie oft haben Sie solche Geschichten schon gehört? Wie oft gerieten Sie schon in Situationen, von denen Sie gedacht hatten, so etwas könne Ihnen nie passieren? Sie sagten sich: "Wenn es etwas gibt, das ich nicht erleben will ... Wenn es eine Frage gibt, die ich nicht gefragt werden will ... Wenn es einen dummen Fehler gibt, den ich nicht noch einmal begehen will ...", und was geschah?

"Noch ein Doppelfehler beim Aufschlag, und ich breche Ihnen das Genick!"

58

Das Prinzip lautet: "An etwas denken heißt sich darauf zubewegen." Auch wenn Sie an Dinge denken, die Sie nicht wollen, bewegen Sie sich auf diese zu. Ihr Geist kann sich nämlich nur auf etwas zubewegen, nicht von etwas weg. Wenn ich Sie auffordere: "Denken Sie nicht an einen rosaroten Elefanten mit Segelohren, lila Tupfen und einer Schildmütze!", was haben Sie dann im Sinn? Einen Elefanten!

Sagen Sie sich jemals: "Ich darf das nicht vergessen", und vergessen es dann prompt? Ihr Geist kann sich nicht vom Vergessen wegbewegen. Er kann sich aber auf das Erinnern zubewegen, wenn Sie "Ich möchte mich daran erinnern" denken.

Diese Einsicht in die Funktionsweise unseres Geistes sollte uns überdenken lassen, was wir zu uns selbst und zu anderen sagen. Wenn Sie zu Ihrem kleinen Neffen sagen: "Fall nur nicht vom Baum." Dann tragen Sie in Wirklichkeit dazu bei, daß er doch herunterfällt! Wenn Sie sich vornehmen: "Ich darf mein Buch nicht vergessen", sind Sie auf dem besten Weg dazu, es liegenzulassen.

Der Grund dafür liegt in der bildlichen Funktionsweise Ihres Geistes. Wenn Sie sich sagen: "Ich darf mein Buch nicht vergessen", entsteht in Ihrem Geist ein Bild vom Vergessen. Und an dieses Bild hält sich Ihr Geist, auch wenn Sie in Wirklichkeit meinen: "Das will ich *nicht*". Als Folge davon vergessen Sie Ihr Buch. Wenn Sie sich vornehmen: "Ich will mich an mein Buch erinnern", entsteht ein geistiges Bild vom Erinnern, und die Chance, daß Sie sich tatsächlich erinnern, wächst.

Ihr Geist kann und will nicht im Gegensatz zu Ihren Gedanken arbeiten. Wenn ein Fußballtrainer also einen Spieler mit "Nicht verpassen" anfeuert, macht er sich damit Schwierigkeiten! Wenn Sie zu Ihren Kindern sagen: "Omas antike Vase hat 10 000 Mark gekostet. Zerbrecht Sie ja nicht!", beschwören Sie damit das Unheil herauf!

Frustrierte Eltern hätten es wesentlich leichter, wenn Sie durch Ihre Ausdrucksweise ein Bild vom gewünschten Resultat im Geist ihrer Kinder weckten und statt "Schrei nicht!" sagten: "Sei bitte still", oder statt "Mach keine Soßenflecken auf dein Hemd!" besser "Gib acht, daß dein Hemd sauber bleibt, wenn du Spaghetti mit Tomatensoße ißt." Das sind feine, aber sehr, sehr wichtige Unterschiede.

Dieses Prinzip erklärt auch, warum Sie Ihre alte Schrottkiste fünfzehn Jahre lang fahren können, ohne auch nur die geringste Schramme abzubekommen, es aber am ersten Tag in der glänzenden neuen Blechkiste schaffen, den ganzen Kühler umzumodellieren! Wenn Sie beim Fahren nämlich ständig denken: "Was auch immer passiert, ich darf keine Macke in mein schönes, neues Auto fahren!", sind Sie in Gefahr. Denken Sie lieber: "Ich fahre sicher!"

Sieger beim Tennisturnier wird, wer immer denkt: "Ich will diesen Punkt machen. Dieser Punkt gehört mir!" Wer aber denkt: "Ich muß aufpassen, daß ich diesen Ball nicht vermassle!", der bleibt auf der Strecke.

Auch muß ein Mensch, der sich sagt: "Ich will nicht krank werden", sich sehr anstrengen, wenn er gesund bleiben will. Und wer den Kopf voller Gedanken hat wie: "Ich will nicht allein sein", "Ich will nicht bankrott gehen" und "Hoffentlich vermassle ich es nicht wieder", der mag sich leicht in genau der Situation wiederfinden, die er gerne vermieden hätte.

Des Pudels Kern

Positives Denken ist deshalb wirksam, weil die Menschen, die es praktizieren, sich mit dem beschäftigen, was sie erreichen wollen. Sie bewegen sich also unweigerlich auf ihr Ziel zu. Richten Sie Ihre Gedanken immer auf das, was Sie sich wünschen.

Ihr Unterbewußtsein

Sicher sind Sie sich des Wirkens Ihres Unterbewußtseins zumindest vage bewußt, finden es aber vielleicht trotzdem schwierig, es genau zu definieren. Die Macht Ihres Unterbewußtseins wird in Hunderten von Büchern abgehandelt.

Einfach ausgedrückt, bestimmt Ihr Unterbewußtsein, was Ihnen zukommt. Wirkung und Kontrolle des Unterbewußtseins sind so umfassend, daß der Vater der amerikanischen Psychologie, William James, seine Entdeckung als die wichtigste Erkenntnis der letzten hundert Jahre bezeichnete.

Ihr Gesamtbewußtsein gleicht einem Eisberg: Der Teil des Bewußtseins, dessen Sie gewahr sind, ist klein, der größere und wichtigere Teil jedoch liegt versteckt. Alle Ihre bewußten Gedanken tragen zur Bildung des Unterbewußtseins bei. Es war eine Menge bewußter Anstrengung und Mühe erforderlich, ehe Sie mit Gabel und Messer essen konnten. Im Laufe der Zeit wurde die Geschicklichkeit im Umgang mit Besteck in Ihr unbewußtes Programm eingespeichert, und heute kommt es kaum einmal vor, daß Sie beim Essen Ihren Mund verfehlen! Ihre Körperfunktionen, Ihre Einstellungen und alle Ihre erlernten Fähigkeiten sind in Ihr Unterbewußtsein einprogrammiert.

Fragen Sie eine Stenotypistin, die es auf achtzig Wörter pro Minute bringt, wo die einzelnen Tasten liegen, und sie gerät in Schwierigkeiten! Mit geschlossenen Augen schlägt sie pro Sekunde fünf Tasten an, die Anordnung der Tasten kann sie Ihnen aber nur beschreiben, wenn sie wie beim Tippen die Hände auf den Tisch legt. Ist das nicht faszinierend!

Claude Bristol stellt in seinem Buch *The Magic of Believing* fest: "Wie das Bewußtsein die Quelle der Gedanken ist, so ist das Unterbewußtsein die Quelle der Kraft." In Ihrem Unterbewußtsein finden sich "Programme" für Gehen, Sprechen, Problemlösen im Schlaf, Heilen des Körpers, Lebensrettung bei Gefahr und vieles mehr.

Es umfaßt die Gesamtsumme aller Ihrer bewußten Gedanken bis zum gegenwärtigen Augenblick, und was immer Sie an Gedanken in Ihr Unterbewußtsein eingespeichert haben, zeitigt jetzt Ergebnisse in Ihrem Leben. Ihre unterbewußten Programme sind für Ihre Erfolge und Mißerfolge verantwortlich. Dabei spielt es keine Rolle, ob das, was Ihr Unterbewußtsein für wahr hält, auch tatsächlich wahr ist. Was Sie an Resultaten erzielen, hängt davon ab, was Ihr inneres Programm für richtig hält.

Denken Sie beispielsweise bei allem, was Sie tun, ständig "Erfolg", entwickeln Sie dadurch automatisch eine unbewußte Erwartungshaltung. Diese zieht Erfolg nach sich, und so stellt sich bei Ihnen Erfolg ein.

Wenn sich Ihre Gedanken oft um Krankheit drehen und Sie häufig über Ihre Krankheit sprechen, stellt sich Ihr Unterbewußtsein auf Krankheit ein und macht Sie krankheitsanfällig. Die Krankheit tritt nun aber nicht unbedingt genau zu dem Zeitpunkt auf, an dem Sie bewußt an Krankheit denken. Und Sie mögen behaupten, daß Sie weder krank werden wollten, noch an Krankheit dachten, noch erwarteten, krank zu werden. Ihr Unterbewußtsein jedoch macht Sie anfällig, und das ändert sich erst, wenn Sie Ihren Geist umprogrammieren.

Die Fähigkeit des Unterbewußtseins, Problemlösungen zu finden, grenzt an ein Wunder. Vielleicht gingen auch Sie schon einmal mit einem ungelösten Problem zu Bett und stellten beim Aufwachen am nächsten Morgen fest, daß Ihr Unterbewußtsein die Lösung gefunden und Ihrem Bewußtsein übermittelt hatte.

Ein umfassendes Verständnis der Wirkungsweise des Geistes ist nicht leicht zu erreichen. Das menschliche Gehirn ist nämlich der komplizierteste Ausrüstungsgegenstand, den die Menschheit kennt!

Des Pudels Kern

Halten Sie sich vor Augen, daß Sie durch Ihr Denken täglich Programme für Ihr Unterbewußtsein schaffen; achten Sie also auf Ihre Gedanken! Nutzen Sie Ihren Geist auf dieselbe Art, wie glückliche und erfolgreiche Menschen das tun. Nutzen Sie ihn in der Art aller großen Komponisten, Gelehrten, Künstler, Erfinder und Sportler. Präsentieren Sie Ihrem Unterbewußtsein Ihre Ziele so, als hätten Sie diese bereits erreicht. Wenn Sie zum Beispiel auf mehr Selbstvertrauen abzielen, sollte das Bild, das Sie sich in Ihrer kreativen Vorstellung ausmalen, von Selbstvertrauen förmlich überschäumen. Stellen Sie sich vor, Ihr Ziel bereits erreicht zu haben, und Ihr Geist macht sich an die Produktion des gewünschten Ideals.

Dasselbe Prinzip gilt für den Wunsch, wohlhabend zu werden: Malen Sie sich das ideale Ergebnis in Ihrer Vorstellung aus. Genießen Sie den gewünschten Erfolg und Wohlstand in Ihrer Phantasie, und Ihr Geist macht sich für Sie an die Arbeit. Dieses Prinzip funktioniert zuverlässig und unfehlbar. Manche Menschen vertrödeln ihre Zeit mit der Forderung nach logischen Erklärungen und dem Versuch herauszufinden, wie das alles genau funktioniert, während ihre Nachbarn diese geistigen Gesetze anwenden, um gesund, wohlhabend und reich zu werden. "Nutzen Sie, was Ergebnisse liefert." Überlegen können Sie es sich später noch.

Vorstellungskraft

"Imagination ist wichtiger als Wissen."
Einstein
"Imagination regiert die Welt."
Disraeli

Schätzungsweise erwerben wir ungefähr siebzig Prozent unseres Wissens in den ersten sechs Lebensjahren; so groß ist in unseren frühen Jahren unsere Fähigkeit, Neues aufzunehmen. In dieser Zeit ist auch unsere Vorstellungskraft am fruchtbarsten.

Der letztere Punkt erklärt den ersteren. Um schnell und leicht zu lernen, brauchen wir eine gute Vorstellungskraft. Deshalb müssen wir uns als Erwachsene einen gesunden Respekt vor der kreativen Imagination erhalten und diese unser Leben lang anregen und fördern.

Manchmal hört man von Eltern: "Ich mache mir Sorgen um Hänschen, er hat eine so unglaubliche Phantasie!" Andere Eltern sind anscheinend der Ansicht, die Vorstellungskraft ihrer Kinder diene nur zur Belustigung der Erwachsenen.

In Wahrheit ist unsere Vorstellungskraft der Schlüssel zu jeglichem Lernen und Problemlösen. Menschen wie Edison und Einstein hatten eine ausgezeichnete Phantasie. Albert Einstein zum Beispiel gelangte zu seinen wissenschaftlichen Schlußfolgerungen über Raum und Zeit, indem er sich in seiner Vorstellung unter die Planeten mischte und auf Mondstrahlen ritt. Da er es fertigbrachte, kindlich zu sein, wurde er zu einem intellektuellen Riesen.

Ein gutes Vorstellungsvermögen ist auch wichtig für ein gutes Gedächtnis. Dies ist einer der Gründe dafür, weshalb alte Menschen oft ein schlechtes Gedächtnis haben – sie haben ihre Imagination so vernachlässigt, daß ihr Geist keine bleibenden Eindrücke mehr schafft. Wenn wir Information in unsere Gedächtnisbänke einspeichern wollen, schaffen wir mit Hilfe unserer Vorstellungskraft und unserer Visualisierungsfähigkeit immer ein Bild. Wie leicht wir diese Information wieder abrufen können, hängt davon ab, wie gut wir beim Schaffen dieser Bilder sind.

Außerdem ist eine gute Vorstellungskraft wesentlich für das Entspannen von Körper und Geist. Wenn es Ihnen zum Beispiel gelingt, sich vollständig in ein vorgestelltes Bild aus der Natur, sagen wir eine Strandszene, hineinzuversetzen, können Sie sich auf Wunsch entspannen. Welch wertvolle Fähigkeit! Jemand, dessen Imagination nicht so gut entwickelt ist, hat beim Entspannen dagegen mehr Schwierigkeiten.

Des Pudels Kern

Halten Sie nicht nur Ihren Körper fit, sondern trainieren Sie auch Ihre Vorstellungskraft. Je mehr Sie sie trainieren, desto leichter wird das Lösen von Problemen und das Abrufen von Fakten.

Imagination und Träumer

> *"Die größte Errungenschaft war zunächst eine Zeitlang ein Traum.*
> *Die Eiche ruht in der Eichel, der Vogel wartet im Ei; und in der höchsten*
> *Vision der Seele regt sich ein erwachender Engel. Träume sind Keime*
> *von Wirklichkeiten."*
>
> James Allen

Wir müssen unsere Vorstellungskraft und unsere Fähigkeit zu träumen pflegen, denn seit Anbeginn der Geschichte kamen die größten Errungenschaften von Träumern, die ihre einzigartigen Beiträge aus einer Mischung von Hoffnung und Schweiß schufen.

Der unehelich geborene Leonardo da Vinci schwor sich im Alter von zwölf Jahren: "Ich werde einer der größten Künstler sein, die die Welt je gesehen hat, und eines Tages mit Königen leben und mit Fürsten wandeln."

Napoleon träumte schon als Junge von der Eroberung Europas und beschäftigte sich stundenlang mit der Leitung und Organisation seiner Truppen. Der Rest ist Geschichte.

Die Brüder Wright verwandelten ihre Träume in Flugzeuge. Henry Ford verwandelte seinen Traum von einem für jedermann erschwinglichen Auto in Fließbandarbeit.

Schon als Kind träumte Neil Armstrong davon, einen Eindruck auf dem Gebiet der Luftfahrt zu hinterlassen. Im Juli 1969 betrat er als erster Mensch den Mond.

Alles beginnt als Traum. Stehen Sie zu Ihrem Traum. Wie heißt es im Lied: "Wenn du keinen Traum hast, geht dir nie ein Traum in Erfüllung."

Mentales Training

Werfen wir nun einen Blick darauf, wie sich Ihre Leistung mit Hilfe Ihrer Vorstellungskraft auf jedem beliebigen Gebiet verbessern läßt.

Vor einigen Jahren veröffentlichte *Reader's Digest* das Ergebnis eines an einer Schule durchgeführten Experiments. Dabei wurden Schüler von ungefähr gleicher Leistungsstärke beim Korbballwurf in drei Gruppen aufgeteilt. Die erste Gruppe trainierte einen Monat lang täglich Korbwürfe. Die zweite Gruppe, die Kontrollgruppe des Experiments, trainierte überhaupt nicht. Die Gruppe Nummer drei übte täglich eine Stunde lang Korbwerfen in ihrer Vorstellung.

Die Gruppe, die körperlich trainiert hatte, verbesserte ihre Leistung um durchschnittlich zwei Prozent. Die Gruppe, die nicht geübt hatte, verschlechterte sich durchschnittlich um zwei Prozent. Gruppe drei, die ihre Würfe nur durch mentales Training geübt hatte, verbesserte sich um dreieinhalb Prozent!

Das beweist, was viele Menschen von sich aus schon wissen: Mentales Training erzielt hervorragende Ergebnisse. Stellen Sie sich auch manchmal vor, wie Sie einen Golfball schlagen, bereiten Sie sich geistig auf ein Interview vor oder malen Sie sich vor dem Einparken Ihr Auto bereits als in der Parklücke stehend aus? Das ist mentales Training, und viele von uns praktizieren es im täglichen Leben, ohne groß darüber nachzudenken. Es ist ein kindlicher Vorstellungsprozeß von enormem Wert.

Bei jeder Handlung, zum Beispiel beim Golfspielen, reagiert Ihr Körper auf "Programme" in Ihren Gehirnzellen, die wie Computerprogramme "Tu dies und tu das" angeben. Mit einem guten Programm treffen Sie gut. Lautet Ihr Programm "Das kann ich nicht", suchen Sie anschließend viel und lange im hohen Gras! Das Training auf dem Golfplatz verfeinert natürlich Ihre automatischen Programme und verbessert Ihre Leistung.

Viele Menschen halten dieses körperliche Training aber nun für die einzige Möglichkeit, eine Fähigkeit, in diesem Fall das Golfspiel, zu verbessern. Dem ist nicht so! Gewiß können Sie Ihre Gehirnzellen durch Golfspielen umtrainieren, doch ist das nicht die beste Art. Der schnellste Weg zur Leistungssteigerung auf beliebigem Gebiet besteht in der Kombination regelmäßigen körperlichen Trainings und regelmäßigen mentalen Trainings.

Neuere wissenschaftliche Entdeckungen beweisen, daß, wenn Sie sich die Durchführung einer Aufgabe im Geiste vorstellen, Ihre unbewußten Programme sich ebenso ändern, wie wenn Sie die Aufgabe tatsächlich ausführen. In den Zellen Ihres Gehirns finden elektrochemische Veränderungen statt, die ein neues Verhalten auslösen. Des weiteren ist anzunehmen, daß wir uns diese in unseren Gehirnzellen gespeicherten Muster und Programme so perfekt wie nur möglich wünschen, und perfekte Leistungen lassen sich außer in unserem Kopf nirgendwo erzielen. Es ist also offenbar, daß die besten Leistungen sowohl körperliches als auch geistiges Training erfordern. Sie können Ihre Treffsicherheit, Ihre Redegewandtheit, Ihre Sicherheit bei öffentlichen Auftritten, Ihre Fahrkunst und jede andere gewünschte Fähigkeit trainieren, indem Sie sich einfach in einen Sessel setzen und im Geiste üben.

Dieser Grundsatz wurde in wissenschaftlichen Experimenten wiederholt bewiesen. Dr. Maxwell Maltz führt in seinem Buch *Psycho-Cybernetics* Beispiele von Spielern an, die ihre Treffsicherheit beim Pfeilwurfspiel oder Basketball mit Hilfe dieser Techniken ver-besserten. Olympiateilnehmer und Sportprofis visualisieren intuitiv, und man kann sie gar nicht so selten im Stadion mit geschlossenen Augen üben sehen. Sie geben ihrem Unterbewußtsein Bilder hervorragender Ergebnisse ein und versichern sich so besserer Leistungen. Ich leugne den Wert tatsächlicher Arbeit oder körperlichen Trainings nicht, möchte aber auf die Tatsache hinweisen, daß wir unser Potential schneller und mit weniger Mühe erreichen, wenn wir uns perfekte Endergebnisse vorstellen.

Des Pudels Kern

Der große Wert des mentalen Trainings besteht darin, daß sich so perfekte Leistungen in Ihre Gehirnzellen einprogrammieren lassen. In Ihrer Vorstellung sind Sie vollkommen fehlerfrei. Daraus lernen wir auch, daß wir entsprechende Resultate erzielen, wenn wir ständig an Ergebnisse denken, die wir am liebsten vermeiden würden! Viele Menschen denken ihr ganzes Leben an nichts anderes, als was sie am meisten fürchten, und wundern sich dann, warum ihnen gerade das passiert! Darüber jedoch später mehr.

Machen Sie es sich zur Gewohnheit, Ihre Fähigkeiten durch Ihr Vorstellungsvermögen zu verfeinern. Ob Sie nun eine Rede halten, einen Raum voller fremder Menschen betreten, ein schwieriges Telefongespräch führen oder zum ersten Mal auf dem Surfbrett stehen; nehmen Sie sich die Zeit, sich dies zuerst perfekt durchgeführt vorzustellen. Die erfolgreichsten Menschen der Welt machen das so – wollen Sie sich ihnen nicht anschließen?

Was wir erwarten, stellt sich ein

Im allgemeinen ziehen wir das an, was wir im Leben erwarten. Wenn sich ein Tennisspieler einredet: "Ich muß meine Hasenpfote bei mir haben, sonst gewinne ich nicht", dann hat er recht. Doch die Macht liegt nicht in der kleinen Pelzpfote, sondern im Geist des Spielers. So viel zum Thema schwarze Katzen, Freitag der dreizehnte und Leitern.

Wenn Maria sich sagt: "Zu mir kommt nur Besuch, wenn das Haus nicht aufgeräumt ist", wird sie feststellen, daß sich dieses Muster wiederholt. Wenn ihr Ehemann Fritz sagt, er bekomme jedes Jahr eine Erkältung, können Sie darauf wetten, daß er sich eine einfängt. Wenn Fritz sagt: "Immer wenn ich etwas Geld auf der Seite habe, kommt eine unerwartete Ausgabe, die mich wieder auf den Nullpunkt zurückwirft", dann wird er ständig auf den Nullpunkt zurückgeworfen werden.

Ärzte haben festgestellt, daß die Heilung ihrer Patienten im allgemeinen deren Erwartungen gemäß verläuft und nicht entsprechend der Prognose. Dr. Carl Simonton fiel bei seiner Arbeit mit Krebspatienten in den USA besonders auf, daß die Genesung seiner Patienten immer wieder deren Genesungserwartung widerspiegelt.

"Halb fünf. Jetzt müßte ich dann gleich meine Migräne bekommen!"

Wenn sich jemand sagt: "Die Menschen ignorieren mich, behandeln mich schlecht, hauen mich dauernd übers Ohr", wird er finden, daß ihm das Leben genau das beschert. Jemand, der sich dagegen sagt: "Die Menschen sind immer gut zu mir", wird gut behandelt.

Des Pudels Kern

Was sagt uns das alles? Es bedeutet, daß die Kontrolle bei Ihnen liegt. Sie bestimmen, was Sie denken. Sie beschließen, was Sie in Ihren Geist einspeichern, und bestimmen damit, was Sie zurückbekommen.

Suchen Sie nach wirklich glücklichen Menschen. Sie sind schwer zu finden! Suchen Sie nach Menschen, denen es miserabel geht und die dabei aber ein wunderbares Leben erwarten. Sie sind genau so schwer zu finden. Das Leben beschert uns im großen und ganzen das, was wir erwarten.

Das Gesetz der Anziehungskraft

Haben Sie je erlebt, daß Sie an jemanden dachten, den Sie seit Monaten nicht gesehen hatten, und dieser Mensch dann am selben Morgen an Ihrer Tür auftauchte? Haben Sie je an einen Freund geschrieben, zu dem der Kontakt jahrelang abgebrochen gewesen war, und erlebten, daß sich Ihre Briefe kreuzten?

Haben Sie je einmal eine alte Melodie gesummt und dann beim Einschalten des Radios festgestellt, daß gerade dieses Stück gespielt wurde?

Haben Sie jemals beschlossen, ein bestimmtes Buch oder eine gewisse Schallplatte zu erwerben, und stolperten ein paar Stunden später darüber? Fanden Sie sich in dem Haus oder der Arbeitsstelle, die Sie sich Jahre zuvor vorgestellt hatten, und fragten sich, ob es (außer Ihrer bewußten Anstrengung) noch etwas gab, dem das Erreichen dieses Ziels zu verdanken war?

Viele Menschen fassen solche Ereignisse unter dem Namen Zufall zusammen, doch ist hier etwas Größeres am Werk. Ihr Geist ist ein Magnet, der das anzieht, woran Sie denken. Die in der "physischen" Welt beobachtbaren Prinzipien des Magnetismus und der Anziehungskraft wirken auch auf der nicht sichtbaren Ebene.

Als ich das erste Mal darauf aufmerksam wurde, dachte ich: "So ein Quatsch! Wie sollte mein Geist etwas anziehen, hervorbringen oder manifestieren können?" Ich hielt die Angelegenheit jedoch einer weiteren Untersuchung für wert, weil es ja doch immerhin entfernt möglich war, daß sich noch ein paar andere Irre dieser Theorie anschlössen. Und sollte es tatsächlich wahr sein, daß unser Geist Dinge anzieht, wollte ich nicht das bedauernswerte Wesen sein, das sich auf Grund seiner Unwissenheit sein ganzes Leben lang abstrampeln muß.

Ich kaufte mir also ein paar Bücher zum Thema Geist und Bewußtsein; manche waren wissenschaftlich, andere metaphysisch oder spirituell, manche handelten vom Reichwerden. Zu meiner Überraschung tauchte in jedem dieser neuerworbenen Bände eine ähnliche Schlußfolgerung in bezug auf die magnetische Natur des menschlichen Geistes auf. "Zufall", dachte ich und erstand noch ein paar weitere Bücher ... und dann noch einige. Insgesamt las ich ungefähr zweihundert. Geschrieben von unterschiedlichen Autoren aus der ganzen Welt zu unterschiedlichen Zeiten und von Angehörigen unterschiedlicher religiöser und philosophischer Überzeugungen. Sie alle sagten im Grunde genommen dasselbe: "Wir ziehen das an, was uns beschäftigt. Unser Geist ist ein Magnet." Ich begann langsam zu glauben, an der Sache könne doch etwas sein.

Ich begann, meinen Geist in der Art einzusetzen, die in den Büchern empfohlen worden war, und das überzeugte mich schließlich selbst! Jetzt lehre ich den wirksamen Einsatz des Geistes in Seminaren, und die Teilnehmer lernen, in den Genuß der angenehmen Seite der Funktionsweise der Dinge zu kommen.

Hören Sie auf Menschen, deren Leben gut läuft!

Eines der Dinge, die ich über dieses Gesetz der Anziehungskraft und das Wunder des Geistes in Erfahrung brachte, war, daß alle erfolgreichen Leute über diese Prinzipien bereits Bescheid wissen. Wenn ich ihnen von meinen neuesten Entdeckungen berichtete, antworteten sie gewöhnlich: "Das mache ich schon seit Jahren so."

Ich stellte auch fest, daß die Menschen, denen es am schlechtesten geht, im allgemeinen bestreiten, daß sich solche Prinzipien zu unserem Vorteil einsetzen lassen. Ich beschloß, dem Rat derer zu folgen, die mit ihrem Leben zufrieden sind, und nicht auf die zu hören, die nur meckern!

Mit dem, was verschiedene Autoren über die schöpferische Macht der Gedanken sagen, ließen sich mehrere Bände füllen; um der Kürze willen zitiere ich nur einige wenige.

In seinem klassischen Bestseller *Think and Grow Rich* schreibt Napoleon Hill: "Unser Gehirn wird durch unsere vorherrschenden Gedanken, also die Gedanken, die uns am meisten beschäftigen, magnetisiert, und diese 'Magneten' ziehen uns auf eine Art, mit der kein Mensch vertraut ist, zu den Kräften, Menschen oder Lebensumständen hin, die mit der Art unserer vorherrschenden Gedanken harmonieren."

James Allen schreibt in *As Man Thinketh:* "Früher oder später entdeckt der Mensch, daß er selbst der Obergärtner seiner Seele, der Direktor seines Lebens ist. Er deckt die Gesetze des Denkens in seinem Inneren auf und versteht immer genauer, wie die Gedankenkräfte und geistigen Elemente seinen Charakter, seine Lebensumstände und sein Schicksal gestalten." Er fügt hinzu: "Daß die Lebensumstände aus Gedanken erwachsen, weiß jeder, der in seinem Leben einmal eine Zeitlang Selbstkontrolle übte ..."

In *The Magic of Believing* spricht Claude Bristol wieder von der Anziehungskraft des Geistes: "Ängstliche Gedanken ziehen mit demselben Grad an Kreativität und Magnetismus Schwierigkeiten an, mit dem die positiven Gedanken positive Ergebnisse anziehen. Ganz gleich welcher Art ein Gedanke ist, er schafft immer nach seiner Art. Wenn dies in das Bewußtsein eines Menschen einsinkt, ahnt er die Ehrfurcht erweckende Macht, die ihm zur Verfügung steht." Später sagt er: "Was als Zufall erscheinen mag, ist kein Zufall, sondern einfach das Wirken eines Musters, das Sie durch Ihr eigenes 'Weben' hervorbrachten."

Bei der Erklärung der Anziehungskraft des Geistes weist Bristol darauf hin, daß Radiowellen ungehindert durch Holz, Ziegel, Stahl und andere sogenannte feste Stoffe dringen, und schlägt vor, Gedankenwellen in ähnlichem Licht zu sehen. Er fragt: "Wenn sich Gedankenwellen (oder was auch immer sie sein mögen) sogar auf noch höhere Schwingungen einstimmen lassen, warum sollen sie dann nicht auf die Moleküle fester Stoffe wirken?"

Ich zitiere Shakti Gawain, die Autorin von *Creative Visualisation,* zum gleichen Thema: "Gedanken und Gefühle haben ihre eigene magnetische Energie, die Energien ähnlicher Art anzieht. ... Der Grundsatz lautet, daß alles, was Sie ins Universum hinaussenden, wieder auf Sie reflektiert wird. Vom praktischen Standpunkt aus gesehen heißt das, daß wir immer das in unserem Leben anziehen, worüber wir uns die meisten Gedanken machen, woran wir am stärksten glauben, was wir auf der tiefsten Ebene erwarten und/oder uns am lebhaftesten vorstellen."

Richard Bach schreibt: "In unserem Leben ziehen wir magnetisch das an, was uns am meisten beschäftigt."

Ein Gedanke ist nicht ein Nichts, sondern ein Etwas. Wenn es ihn nicht gäbe, könnten Sie ihn nicht denken. Er muß ein "Ding" sein! Und da er ein "Ding" mit der ihm eigenen Energie ist, muß ein Gedanke notwendigerweise wie alles andere auf diesem Planeten durch Gesetze und Prinzipien gebunden sein,

So gesehen läßt sich leicht erkennen, daß das Gesetz der Anziehungskraft so echt und wirksam ist wie Schwerkraft und Elektrizität.

Die Liste ließe sich beliebig verlängern. Mein Ziel in diesem Buch besteht jedoch darin, Ihnen als Leser(in) etwas klarer zu machen, wie Ihr Geist die Ergebnisse schafft, die Sie ernten. Ich wünsche mir nicht, daß Sie diese Auffassungen blind übernehmen, ohne sie selbst zu überprüfen. Außerdem möchte ich hier wie schon an anderer Stelle betonen, *daß der Einsatz Ihrer Gedanken kein Ersatz für entsprechendes Handeln ist. Vielmehr ermöglicht es der richtige Umgang mit den geistigen Kräften, Ihre Ziele schneller und leichter zu erreichen, als das sonst der Fall wäre.*

Des Pudels Kern

Ihr Geist ist ein Magnet. Bleiben Sie bei dem, was Sie sich wünschen, und Sie werden es erreichen.

Stellen Sie sich Ihre Gedanken als unsichtbare Wolken vor, die ausziehen und Ihnen Ergebnisse zuführen. Wenn Sie Ihre Gedanken entsprechend schulen, bestimmen Sie, was Sie ernten.

Was wir fürchten, ziehen wir an

Da die Dinge, die wir am meisten lieben oder fürchten, unser Denken die meiste Zeit in Anspruch nehmen, neigen wir dazu, genau diese Dinge anzuziehen. Haben Sie jemals einen nagelneuen Anzug beim ersten Tragen ruiniert? Während Sie sich dachten: "Ich will mein schönes neues Hemd nicht schmutzig machen", lief die blaue Tinte aus Ihrem Füllhalter bereits in Ihre Hemdtasche.

Wie oft kommt es vor, daß jemand sagt: "Sieben Jahre lang habe ich in meiner alten, verbeulten Schrottkiste nicht einen einzigen Kratzer abbekommen. Kaum hatte ich meinen neuen fahrbaren Untersatz, fuhren mir die Leute plötzlich hinten auf, schnitten mich und drängten mich von der Straße ab." Von der Frau mit den fünf Unfällen in sieben Jahren berichtete ich schon. Immerhin hat sie inzwischen erkannt, daß sie sich so stark mit ihren Ängsten befaßte, daß sie genau das anzog, was sie eigentlich vermeiden wollte.

Auch wenn wir uns im Geiste sagen: "Ich will nicht, daß X geschieht", bewegen wir uns doch auf X zu. Unser Geist kann sich nicht von etwas wegbewegen, nur auf etwas zu.

Das erklärt, warum Sie sich als Kind in die leere Küche schleichen und sich dort mit einem Monatsvorrat an Keksen eindecken konnten, sich dann still und heimlich auf den Rückweg machten und ... *erwischt wurden!* Plötzlich war aus dem Nichts Ihr Vater aufgetaucht. Ihr Hauptgedanke dabei war gewesen: "Ich schnappe mir nur schnell diese Kekse, und hoffentlich werde ich dabei nicht erwischt, sonst sterbe ich." Und prompt wurden Sie erwischt!

Vielleicht ist es Ihnen auch schon einmal vorgekommen, daß Sie mit jemandem ausgingen und dachten: "Es wäre doch peinlich, wenn jetzt mein ehemaliger Liebhaber auftauchte." Unnötig zu sagen, daß Ihre größte Angst bestätigt wurde.

Haben Sie sich schon einmal auf ein Fest oder eine besondere Gelegenheit gefreut und dabei gedacht: "Hoffentlich werde ich nicht krank und verpasse das alles", und sind dann tatsächlich krank geworden? Faszinierend, wie unser Geist arbeitet, nicht wahr?

Eine Zeitschrift berichtete vor kurzem über einen Mann aus New York, Pete Torres, der von 1968 bis zum Zeitpunkt der Veröffentlichung fünfzehn Mal überfallen worden war. Wir halten dies für eine Art zweifelhaften Rekord. Pete behauptet, nichts zu tun, was diese Angriffe herausfordern könnte; tatsächlich jedoch trägt er dazu bei, dieses Elend auf sich herabzubeschwören. Seine heimliche Leidenschaft sind Horrorfilme. Er verbringt seine Freizeit damit, sich mit Messerstechereien, Straßen- und Raubüberfällen aufzuladen. Er füllt seine Gedanken mit Schauergeschichten und hat offensichtlich Gefallen am "Schaudern". Dann wundert er sich, warum das Leben in den Straßen New Yorks eine einzige lange Horrorgeschichte ist.

Dieselben Prinzipien zeigen sich bei Krankheit und Armut. Wenn wir über "schlimme Dinge" reden, lesen oder nachdenken, bewegen wir uns unbewußt - wenn nicht sogar bewußt - darauf zu. Erfolgreiche Menschen bewegen sich auf Erfolg zu. Erfolglose versuchen, Mißerfolgen zu entkommen. Wenn es ein geistiges Prinzip gibt, das Verlierer in Gewinner verwandeln kann, dann lautet es: "Konzentrieren Sie sich auf das, was Sie erreichen wollen."

Es wäre lächerlich, wenn Sie zum Verkäufer im Laden an der Ecke sagten: "Ich will keine Milch, ich will kein Brot, ich will keinen Käse", und dann erwarteten, zufrieden nach Hause zurückzukehren. Und doch stolpern die meisten Menschen durchs Leben und bejammern nur, was sie nicht haben, und sprechen nur über das, was sie nicht wollen. Diese Situation ist hoffnungslos. Wir müssen uns auf das konzentrieren, was wir erreichen wollen.

In der Weiterführung dieses Themas entdecken wir das Prinzip der "Verlustangst". Wenn wir Angst davor haben, etwas zu verlieren, schaffen wir dadurch die Vorraussetzung für dessen Verlust. Das gilt für Ehemänner, Freundinnen, Brieftaschen, Tennismatchs und Stereoanlagen.

Von Zeit zu Zeit lesen wir in der Zeitung von Menschen, in deren Häuser ständig eingebrochen wird. Trotz Schlössern, Diebstahlsicherungen, Ketten, Riegeln und bellen-den Schäferhunden scheint es, als stünden manche Türen für Einbrecher immer offen.

Diese Gesetze sind in Beziehungen genauso wirksam. Wenn wir Angst davor haben, die Liebe oder Zuneigung eines Menschen zu verlieren, laufen wir sofort Gefahr, sie zu verlieren. Mit Sicherheit muß die Botschaft lauten: "Konzentrieren Sie sich auf das, was Sie haben, freuen Sie sich daran. Lenken Sie Ihre Gedanken nicht auf den möglichen Verlust Ihres Besitzes."

Konzentrieren Sie sich auf das, was Sie erreichen wollen. Wenn Sie sich mit Ihren Ängsten beschäftigen, werden diese zur Realität. Das Prinzip, daß wir anziehen, wovor wir uns fürchten, ist eigentlich wunderbar. Es bedeutet, daß wir uns unseren Ängsten stellen und also darüber hinauswachsen müssen. Wenn die Dinge, vor denen wir uns fürchten, vor uns davonliefen, wie könnten wir uns dann weiterentwickeln? Wie kämen wir weiter, wenn wir uns nie dem stellen müßten, was uns ängstigt?

Was die Angst vor Verlust angeht, so geben uns die Gesetze des Universums den Anstoß dazu, auf unseren eigenen beiden Füßen zu stehen. Wenn wir den Verlust einer Sache für das Ende der Welt halten und bei diesem Gedanken verweilen, dann mag das Universum beschließen, der Beweis, daß wir auch ohne diese gewisse Sache überleben können, sei fällig!

Wenn Sie glauben, ohne Ihren Porsche 911 nicht leben zu können, kann es schon sein, daß das Universum Sie vom Gegenteil überzeugt und Sie in den Genuß eines Lebens ohne Ihren Porsche kommen. Ist Ihre Einstellung aber: "Ich freue mich an meinem Auto, kann aber auch ohne es auskommen", dürfen Sie es behalten, solange es Ihnen Spaß macht. Die Umstände verhelfen uns zu Selbsterkenntnis und neuer Kraft.

Wir sollen uns an dem freuen, was wir jetzt gerade haben, und im Jetzt leben. Angst vor Verlust haben heißt, nicht im Jetzt leben. Angst vor Verlust haben heißt in der Zukunft leben.

Ängste, denen wir uns stellen, verschwinden

Ein weiteres faszinierendes Prinzip besteht darin, daß Probleme, wenn wir endlich den Mut fassen, sie anzugehen, oft verschwinden und wir uns ihnen nicht mehr stellen müssen.

Sobald wir endlich den Mut aufbringen, den schwierigen Telefonanruf in Angriff zu nehmen, unseren Angestellten zur Rede zu stellen oder ein Opfer zu bringen, ist das oft gar nicht mehr nötig. Wir quälen uns wochenlang damit herum, wie wir unserer Sekretärin am schonendsten beibringen, daß sie eine andere Stelle finden muß, und wenn wir sie dann endlich mit dieser Neuigkeit überfallen, stellt sich heraus, daß sie es kaum erwarten kann zu gehen! Diese Wendung der Dinge stellt sich natürlich nicht immer ein, und manchmal ist es nötig, in den sauren Apfel zu beißen!

Oft zeigt sich auch, daß Angst sich, wenn wir erst einmal beschlossen haben, ihr zu begegnen, auflöst. Zweifellos hatten Sie schon einmal eine Aufgabe zu erledigen, die Sie für besonders schwierig oder besonders unangenehm hielten. Doch als Sie sich endlich daran machten, war es nicht halb so schlimm wie erwartet. Das gilt besonders in Fällen, in denen man die Wahrheit sagen oder Fehler und Fehlverhalten eingestehen muß. Wie oft stellt sich heraus, daß der Gedanke daran schlimmer war als die Realität?

Die Macht des Wortes

"Was du bestimmst, soll dir gegeben werden."
Job 22, 28

Sie bekommen das, worüber Sie sprechen. Nicht nur unsere Gedanken, sondern auch die Worte, die wir sprechen, bestimmen unsere Lebensumstände. Unsere Worte formen unsere Einstellung und bestimmen, was wir anziehen und erleben.

Wenn es uns mit dem Glücklichsein ernst ist, achten wir auf unseren Mund. Wir sprechen positiv über uns selbst und setzen uns nicht selbst herab. Damit versuchen wir nicht, Vollkommenheit vorzutäuschen; es geschieht vielmehr aus der Einsicht heraus, daß man sich nicht gut fühlen kann, wenn man dauernd über sich selbst, seine Arbeit, seine Freunde, seine Familie und alle Leute, mit denen man zu tun hat, nörgelt.

Kürzlich kam ein Mann mit einer Bitte zu mir: "Ich habe es satt, mich elend und deprimiert zu fühlen. Ich habe es satt, meiner Familie zur Last zu fallen. Ich will glücklich sein! Wie mache ich das?"

Ich erwiderte: "Als erstes machen Sie Ihren Mund nur dann auf, wenn Sie etwas Positives und Konstruktives zu sagen haben. Sie und Ihre Familie werden die Veränderung zu schätzen wissen."

Als ich ihn eine Woche später wiedersah, jammerte er immer noch. Er sagte: "Ich will glücklich sein und bin es nicht. Wie soll ich es nur anstellen?" Ich antwortete: "Ich gab Ihnen meinen besten Rat bereits letzte Woche!"

Er sagte darauf: "Ich bin aber immer noch nicht glücklich." Ich erwiderte: "Ich weiß. Es ist Ihnen eben immer noch nicht ernst genug damit! Wenn Sie es wirklich ernst meinen, werden Sie glücklich sein."

Ich weiß nicht, ob er mich inzwischen verstanden hat. Er muß erkennen, daß einzig und allein er die Kontrolle über seine Zunge hat. Irgendwann muß er die Verantwortung für seine Gedanken übernehmen. Er muß die Gedanken, die ihm durch den Kopf ziehen, ernst nehmen.

Es ist ganz einfach. Wenn es jemand wirklich und wahrhaftig satt hat, sich elend zu fühlen, dann ändert er seine Einstellung. Er verändert seine Ausdrucksweise. Das ist zwar sehr einfach, erfordert aber Disziplin und kostet Mühe. Wenn wir in unserem Denken und Sprechen diszipliniert sind, unterscheiden wir uns von der großen Masse. Spitzenklasse ist immer anders.

Manche Menschen stellen sich auf den Standpunkt: "Ich tue alles, um glücklich zu sein, solange ich nur nicht mich selbst ändern muß." Leider reicht so wenig Engagement im allgemeinen zur Besserung nicht aus!

Die Frage der geistigen Gesundheit wird oft als viel zu kompliziert dargestellt. Die Patienten gehen zum Arzt oder Psychologen und werden dort in eine bestimmte Kategorie eingeordnet. Jetzt haben sie etwas, auf das sie die Schuld abschieben können - ihre "Krankheit".

Der Patient hat bislang möglicherweise eine Menge Traumen, Schmerzen und Enttäuschungen durchgemacht und hat zweifellos unsere Liebe, Unterstützung und unser Mitgefühl verdient. Wir erweisen ihm jedoch den größten Gefallen, wenn wir ihm einsichtig machen, daß er selbst für seinen Zustand verantwortlich ist.

Dann geht es nur noch um die Frage: Was wird dieser Mensch ab morgen tun, um glücklicher zu werden?

Worte wirken auf unsere persönliche Stärke und Tatkraft.

Die Worte, die wir verwenden, sickern immer in unser Unterbewußtsein ein und werden Teil unseres Charakters und der Art, wie wir uns geben. Sie verraten anderen ganz genau, wie ernst es uns damit ist und wieviel uns daran liegt, Erfolge zu erzielen.

Es gibt Worte, die ganz allgemein unseren Fortschritt unterwandern. Jedesmal, wenn wir "versuchen" sagen, deuten wir damit an, daß es nicht in unserer Macht stehe. Wenn Sie "versuchen", eine Arbeit gut zu machen, "versuchen", rechtzeitig da zu sein, "versuchen", glücklich zu sein, dann deuten Sie damit an, daß es *vielleicht* so kommt, vielleicht aber auch nicht. Ersetzen Sie das Wort "versuchen" durch "werden", dann ist das eine Aufgabe und Herausforderung und erzielt viel bessere Ergebnisse. Das mag kleinlich erscheinen, bestimmt jedoch die Art und Weise, in der wir uns und andere sehen.

Auch der Gebrauch der Worte "kann nicht" unterwandert Ihr eigenes Wirkungsvermögen. Wenn Sie statt "kann nicht" sagen "will nicht" oder "werde nicht", kommt das der Wahrheit im allgemeinen näher. Zum Beispiel bedeutet "Ich werde dich morgen nicht sehen", daß die Entscheidung bei Ihnen liegt und Sie dieselbe getroffen haben. "Ich will nicht schwimmen lernen" heißt, daß Sie nicht zu der notwendigen Anstrengung bereit sind. Wenn Sie es aber wirklich wollen, *können* Sie sehr wohl!

Worte wirken auf unser Gedächtnis

Viele Menschen geben sich redlich Mühe, andere wissen zu lassen, wie miserabel ihr Gedächtnis sei. Und was für ein Gedächtnis haben sie? Ein miserables! Was wir erwarten, stellt sich ein, und Worte beeinflussen unsere Leistung.

Was unser Gedächtnis angeht, so sagen uns die Wissenschaftler jetzt, daß wir nie etwas wirklich vergessen. Die gesamte Information findet sich in unserem Kopf. Die Frage ist, ob wir sie abrufen können. Das erklärt, warum Sie den Namen eines Menschen "vergessen" können und ihn am nächsten Tag doch wieder wissen. Der Name war nicht irgendwie aus Ihrem Kopf verschwunden und tauchte dann vierundzwanzig Stunden später plötzlich aus dem Nichts wieder auf. Er war die ganze Zeit über in Ihrem Kopf, nur konnten Sie ihn vorübergehend nicht "abrufen".

Unsere Worte beeinflussen unser Unterbewußtsein, und unser Gedächtnis ist eng mit unserem Unterbewußtsein verbunden. Wenn Sie Ihrem Unterbewußtsein ständig einprogrammieren, daß Sie ein gutes Gedächtnis haben, werden Sie feststellen, daß Ihr Erinnerungsvermögen sich dramatisch verbessert. Sie erwarten dann unbewußt, sich an Namen und Daten zu erinnern, und dadurch tritt dies dann tatsächlich häufiger ein.

Affirmationen

Eine Affirmation ist ein positiver Gedanke, den Sie sich immer wieder vorsagen. Affirmationen ermöglichen es Ihnen, qualitativ hohe Gedanken auszuwählen und Ihrem Unterbewußtsein einzupflanzen, so daß Sie sich besser fühlen und bessere Leistungen erzielen.

Nehmen wir an, Sie fahren auf der Autobahn, und Ihr Kopf zerspringt beinahe vor Kopfschmerzen. Das ist eine gute Gelegenheit, um die Macht Ihrer Gedanken und die Macht des Wortes zu kombinieren. Sie fangen also an, sich vorzusagen: "Mein Kopf fühlt sich wunderbar an!" oder "Mein Kopf ist ganz locker und entspannt."

Wenn Sie das lange genug wiederholen, sagt zweifellos eine kleine Stimme im Hintergrund: "Lügner! Du fühlst dich miserabel!"

Wenn Sie jedoch mit der positiven Affirmation fortfahren, wurzelt der Gedanke, daß Sie sich gut fühlen, in Ihrem Unterbewußtsein. Sie fühlen sich tatsächlich bald besser, und eine halbe Stunde später geht Ihnen dann möglicherweise der Gedanke durch den Kopf: "Ich hatte doch vorher Kopfschmerzen. Die sind jetzt ganz verschwunden. War das nun die Affirmation oder ist das Zufall?"

Mit Affirmationen lassen sich auf einer ganzen Reihe von Gebieten Erfolge erzielen.

Zum Beispiel beim Tennisspielen: "Das wird ein gutes Spiel für mich."

In Beziehungen: "Die Menschen sind immer liebe- und respektvoll zu mir. Ich behandle andere liebe- und respektvoll."

Für Ihre geistige Einstellung:

"Es geht mir jeden Tag und in jeder Beziehung besser und noch besser und immer besser."

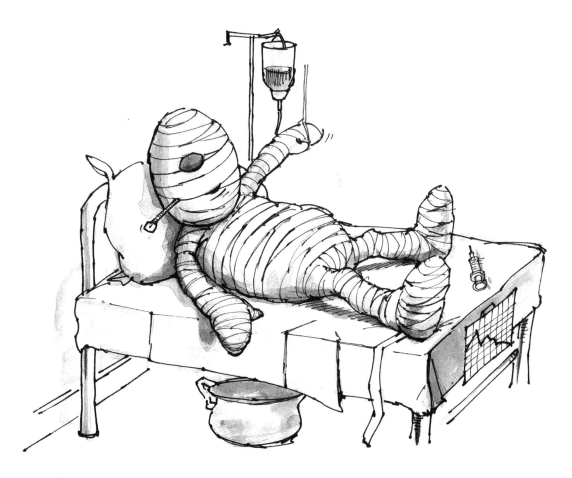

"Mir geht's wunderbar. Mir geht's wunderbar. Mit geht's wunderbar.
Mir geht's wunderbar. Mir geht's wunderbar ..."

Für Ihr Wohlergehen:

"Ich fühle mich gesund, ich fühle mich gut, ich fühle mich reich."

Die Möglichkeiten sind endlos. Affirmationen bedeuten nicht, daß Sie sich nie mehr an-strengen müssen. Sie sind eine Abkürzung auf dem Weg, wenn Sie Ihr Denken auf das hin konditionieren, was Sie erreichen wollen. Wenn Sie beschließen, Affirmationen in Ihr tägliches Leben einzubauen, wird sich zeigen, daß diese ein sehr einfaches und wichtiges Werkzeug sind. Tatsächlich sind sie fast zu einfach.

Sie sind weder kompliziert noch verzwickt, und wenn Sie selbst ein intellektuell anspruchsvoller Mensch sind, denken Sie vielleicht: "Solche Kindergartentricks sind doch nichts für mich!", und als Folge davon sind Sie in einem Jahr immer noch intellektuell anspruchsvoll, haben immer noch Kopfschmerzen und setzen Ihren Geist immer noch nicht optimal ein. Die Wahl liegt wieder einmal bei Ihnen.

Wenn Sie Affirmationen einsetzen, müssen Sie sich einige Regeln vor Augen halten. Erstens bewegt sich Ihr Geist, wie schon gesagt, immer auf das zu, was Sie denken. Wenn Sie deshalb Affirmationen entwerfen wie: "Ich werde mich nicht mit meinem Mann streiten" oder "Ich werde nicht krank", werden Sie von den Ergebnissen nicht begeistert sein! Ihr Geist bewegt sich auf das zu, von dem Sie sagen, Sie wollten es nicht. Wahrscheinlich kennen auch Sie Menschen, die nichts anderes tun, als ständig über das zu reden, was sie nicht wollen, und sich dann wundern, weshalb es ihnen laufend beschert wird.

Ich kann mich noch erinnern, daß meine Freunde und ich in der Schule Sätze schreiben mußten wie: "Ich darf im Unterricht nicht sprechen", "Ich werde nicht zu spät kommen" und "Ich darf den Lehrer nicht mit Papierkugeln beschießen". Den Lehrern war nicht bewußt, daß sie durch diese negative Ausdrucksweise tatsächlich Fehlverhalten herausforderten. Wenn ich bedenke, was sich in meiner Schulzeit alles abspielte, dann muß ich sagen: Sie machten das wirklich nicht schlecht!

Das zweite Prinzip für die Arbeit mit Affirmationen lautet, daß Affirmationen wesentlich wirksamer sind, wenn man sie laut ausspricht oder aufschreibt. Wenn Sie Affirmationen nur in Gedanken sagen, wandert Ihr Geist gerne ab zu Fragen wie: "Was gibt es denn wohl zum Mittagessen?" oder "Wo sind denn nur die Kinder?" Aussprechen oder Aufschreiben hält Ihren Geist bei der Sache, bezieht Ihre physischen Sinne mehr mit ein und ist deshalb wirkungsvoller.

Und drittens muß man sich daran erinnern, daß bei Affirmationen Wiederholung wichtig ist. Zum Umstrukturieren eines Glaubensmusters, das Sie schon seit zwanzig Jahren mit sich tragen, ist Ausdauer erforderlich. Erwarten Sie nicht, daß sich Ihr Lebensweg ändert, wenn Sie sechs Mal "Ich bin wirklich glücklich!" sagen.

Des Pudels Kern

Unsere Worte bestimmen, wie wir denken und wie wir uns fühlen. Was wir denken, bestimmt, was wir sagen und wie wir uns fühlen. Wie wir uns fühlen, das bestimmt, was wir sagen, und deshalb auch, was wir denken. Es ist also ein Teufelsdreieck.

Wenn es uns nicht gut geht, läßt sich das gesprochene Wort leichter verändern als unser Denken und Fühlen – für einen Neubeginn ist es also am leichtesten, das gesprochene Wort zu kontrollieren. Wir sind dann aus dem Teufelsdreieck ausgebrochen und bereits auf dem Weg zur Besserung.

Dankbarkeit

Ich erinnere mich daran, wie ich als Kind dazu angehalten wurde, für alles Gute in meinem Leben dankbar zu sein. Meine Mutter lehrte mich zu beten, vor dem Essen ein Tischgebet zu sprechen und für meine liebevollen Eltern, das reichliche Essen, mein warmes Bett, meine Geschwister, meine Gesundheit und all die Dinge dankbar zu sein, die ich für selbstverständlich hielt.

Ich erinnere mich sogar, daß ich manchmal mit Papier und Bleistift auf mein Zimmer geschickt wurde, um eine Liste all der Dinge anzufertigen, für die ich Grund zur Dankbarkeit hatte! (Das geschah unweigerlich als Reaktion auf einen meiner Ausbrüche, nachdem ich lautstark kundgetan hatte, wie schlecht die Welt beschaffen sei und daß ich nie das bekäme, was ich mir wünschte.) Die Liste kam nie zustande, und ich sah überhaupt keinen Sinn in dieser Übung. Falls es tatsächlich einen Gott gäbe, warum sollte ich ihm dann die Aufmerksamkeit schenken, die ich meinem Tennisspiel widmen könnte?

Einige Jahre später sah ich die "dankbare Einstellung" *(attitude of gratitude)* in ganz anderem Licht. Als ich erkannte, wie unser Geist arbeitet, und einzusehen begann, daß wir in unserem Leben das erreichen, woran wir denken, und das bekommen, was wir unbewußt erwarten, ging mir auf, daß ich mich, um weiterhin Glück zu haben, als Glückspilz betrachten müsse.

Es ist nicht nur vom spirituellen, sondern auch vom wissenschaftlichen Standpunkt aus gesehen absolut notwendig, für das, was wir haben, dankbar zu sein. Die großen spirituellen Lehrer wie Jesus, Buddha, Mohammed und andere lehrten, daß wir unser Glück an den Fingern abzählen sollten. Dahinter liegt die Weisheit verborgen, daß unser Geist ein Magnet ist und wir uns auf das zubewegen, was uns in Gedanken am meisten beschäftigt.

Wenn Fritz dauernd meckert, daß ihm nie etwas gelinge, daß er nie genug Geld habe, ihn niemand liebe, seine Arbeit lausig und das Leben schwer sei, dann zieht er unweigerlich mehr davon an. Auf der bewußten Ebene übersieht er Chancen, weist Hilfsangebote zurück und steuert ständig auf finanziellen und gefühlsmäßigen Bankrott zu. Auf der unbewußten Ebene weist er Chancen zurück, zieht eine Tragödie nach der anderen an und lebt in einer Wirklichkeit, die seinen Erwartungen genau entspricht. Er malt sich aus, daß er laufend etwas verpasse oder zu kurz komme, und schafft sich so ein Leben, das seinem Glauben entspricht.

Meiner Erfahrung nach ist das Universum im wesentlichen nicht nachtragend ... Wenn sich ein Mensch aber ständig auf das konzentriert, was ihm fehlt, fließt ihm von dem Gewünschten immer weniger zu. Ich fand auch, daß die Menschen mit den schönsten Freundschaftsbeziehungen diese am höchsten zu schätzen wissen. Menschen, die ein aktives und erfülltes Leben führen, sind Menschen, die sich ständig an dem erfreuen, was das Leben ihnen beschert.

Es scheint häufig so, als seien wir gesellschaftlich darauf trainiert, nur die negativen Seiten des Lebens zu sehen. Wenn zehn Dinge gut gehen und eines schief, dann achten wir nur auf das schiefgelaufene. Wenn Söhnchen von den zwanzig Punkten im Mathetest elf schafft, konzentrieren wir uns nicht auf die elf erreichten, sondern auf die neun verfehlten Punkte. Wenn wir Kopfschmerzen haben, sagen wir nicht: "Meine Brust, mein Bauch, meine Arme und Beine fühlen sich großartig", sondern: "Mein Kopf schmerzt!" Wir sorgen uns über den Lippenstift am Kragen, statt uns über die Tatsache zu freuen, daß das Hemd zu neunundneunzig Prozent sauber ist! Zu viele Menschen glauben, realistisch und rational sein bestehe darin, sich auf Fehler zu konzentrieren!

Jemand bemerkte einmal: "Wenn du dich elend fühlst, weil du so viele von den Dingen, die du dir wünschst, nicht hast, dann denke nur einmal an all die Dinge, die du nicht willst und die dir auch tatsächlich erspart bleiben!" Alles hat seine positive Seite!

Des Pudels Kern

Dankbarkeit stellt sicher, daß unsere Aufmerksamkeit auf das gerichtet ist, was wir erreichen wollen. Wenn wir uns in Hülle und Fülle leben sehen und erkennen, wie viel wir bereits haben, lenken wir damit einen Strom des Guten auf uns zu. Wir sind immer häufiger zur rechten Zeit am richtigen Ort. Es ist wirklich ein ausgezeichnetes System. Wie wäre es denn im umgekehrten Fall, wenn uns desto mehr zuflösse, je mehr wir jammerten und stöhnten und je weniger wir uns anstrengten?

Kapitel 4

Ziele

Setzen Sie sich Ziele!

Einschränkungen

Probleme

Fehler

Das Gesetz von Säen und Ernten

Risiko

Engagement

Anstrengung

Die elfte Stunde

Beharrlichkeit

Fragen und bitten

Entschuldigungen *oder* Erfolge

Die süßesten Früchte hängen am höchsten ...

Setzen Sie sich Ziele!

"Das Leben verlangt von uns allen einen Beitrag, und jeder muß selbst herausfinden, worin sein persönlicher Beitrag besteht."
Victor Frankl

Dieses Kapitel bespricht, wie man Ziele setzt und erreicht, weshalb wir uns Ziele setzen sollten und welche Grundsätze wir beim Verfolgen unserer Ziele beherzigen sollten.

In seinem klassischen Buch *Man's Search for Meaning* schrieb Frankl über das Leben in einem Konzentrationslager während des zweiten Weltkriegs. Er errechnete, daß nur einer von achtundzwanzig die Schrecken der Konzentrationslager überlebte, und untersuchte an Einzelfällen die Gründe, weswegen ein Mensch das überlebte, was so viele andere zugrunde richtete.

Er beobachtete, daß der Überlebende nicht unbedingt der Fitteste, Gesündeste, der am besten Ernährte oder der Klügste war. Er erkannte, daß die Überlebenden einen Grund hatten, der sie durchhalten ließ. Sie hatten ein *Ziel*. In Frankls Fall war dies sein brennender Wunsch, das Gesicht seiner Frau wiederzusehen. Die Ziele der anderen Überlebenden mochten zwar anders gelagert sein, Ziele hatten sie jedoch alle.

Unsere Ziele lassen uns durchhalten. Wie oft hören wir von Menschen, die sich nach vierzig Jahren Arbeit zur Ruhe setzen und innerhalb weniger Monate tot umfallen? Wenn wir erst einmal unseren Antrieb und unsere Richtung verloren haben, stecken wir in Schwierigkeiten! Ist Ihnen je aufgefallen, daß Sie im allgemeinen am glücklichsten sind, wenn Sie mitten in einem Projekt stecken, und nicht, wenn Sie ein Vorhaben abschließen? Haben Sie je bemerkt, daß Sie sich sofort nach etwas anderem umsehen, wenn ein Projekt beendet ist?

Wir wollen hier zwei Hauptpunkte festhalten:

Es liegt in unserer Natur, Ziele zu haben. Ohne Ziele können wir nicht leben, zumindest nicht sehr lange. Wenn Sie deshalb noch keine Liste mit Zielen für sich aufgestellt haben, brauchen Sie dringend eine.

Worin das Ziel besteht, ist nicht so wichtig. Hauptsache, Sie haben eines! Manche Menschen nehmen das Ziel ihres Lebens nie in Angriff. Sie bringen es fertig, das, was sie mit ihrem Leben eigentlich anfangen wollen, immer auf später zu verschieben. Sie sind sich nicht sicher, ob das Ziel, das sie im Kopf haben, tatsächlich das richtige ist, und unternehmen deshalb nie etwas dafür!

Nehmen Sie zum Beispiel Karlchen Schmitt, der ein Universitätsstudium nachholen möchte. Nur ist er sich nicht ganz sicher, ob das auch wirklich das richtige für ihn ist. Das Problem ist, daß er schon seit dreißig Jahren versucht, sich darüber klar zu werden, und inzwischen siebenundfünfzig Jahre alt geworden ist! Viel Zeit bleibt ihm also nicht mehr.

Wenn Karlchen sein Studium wieder aufnimmt und dabei merkt, daß es nicht das richtige ist, dann ist das wunderbar. Dann weiß er es endlich. Sehen Sie, die Leute sagen oft: "Wie schrecklich wäre es, wenn ich die falsche Richtung einschlüge!" "Und wenn ich nun das falsche Ziel wähle und es mich nicht glücklich macht?" In Wirklichkeit ist das wunderbar! Sie haben dann eine weitere Möglichkeit ausgeschaltet und wissen besser, was Sie glücklich macht und was nicht.

Hier kommen wir wieder darauf zu sprechen, daß erfolgreiche Menschen einen Schritt in die falsche Richtung als eine wertvolle Erfahrung betrachten und erfolglose, unglückliche darin ein Versagen sehen.

Das Gesetz der Präzession

Buckminster Fuller, einer der kreativsten Denker des Jahrhunderts, schrieb über das "Gesetz der Präzession", das er als Teil des Zielsetzens betrachtete.

"Präzession" ist das Prinzip, das sicherstellt, daß wir zusätzlich zu dem gesetzten Ziel noch viele andere Gewinne erzielen. In der Tat ist das Erreichen des Ziels nicht das wichtigste bei der Sache, sondern es kommt darauf an, was wir auf dem Weg alles lernen und wieviel wir uns dabei weiterentwickeln.

Fritz sagt sich vielleicht: "Sechs Jahre lang war ich auf der Uni, nur für dieses Stück Papier!" Dabei übersieht er, daß er dabei auch viele Menschen kennenlernte, viel über sich selbst lernte und viele Erlebnisse hatte, die er sonst nicht gehabt hätte. Nicht das Stück Papier ist wichtig, sondern das Unternehmen als solches.

Wenn Sie beschließen, quer durch Europa zu wandern, einen Ferrari zu besitzen oder Ihr eigenes Geschäft zu eröffnen, ist das wichtigste an der Sache nicht das Wandern, das Auto oder das Geschäft. Das wichtigste dabei ist, welche Art Mensch Sie werden müssen, um Ihr Ziel zu erreichen.

Wenn Sie auf Ihr Ziel zuarbeiten, entwickeln Sie vielleicht mehr Mut und Entschlossenheit, verfeinern Ihre Überzeugungskraft, lernen mehr Selbstdisziplin, trainieren Ihre Ausdauer, lernen ein Flugzeug fliegen, erlangen mehr Selbstbewußtsein, lernen den Partner fürs Leben kennen oder lernen, wie man einen Scheck ausfüllt!

Was Sie *bekommen,* wenn Sie auf Ihr Ziel zuarbeiten, ist weniger wichtig. In Wirklichkeit geht es darum, was aus Ihnen *wird*!

Bevor Sie sich an das Erreichen eines gesteckten Zieles machen, sollten Sie sich daran erinnern, wie die Dinge auf diesem Planeten organisiert sind: Nichts bewegt sich in geraden Linien. Man erreicht kein Ziel ohne Rückschläge.

Die Flut kommt nicht auf ein Mal. Das Wasser dringt vor und fließt wieder zurück, vor und zurück, bahnt sich allmählich seinen Weg. Ein Baum verliert von Zeit zu Zeit seine Blätter, und nach jedem Verlust läßt er zum Ausgleich dafür ein paar neue mehr wachsen. Er wächst und vergrößert sich, doch geschieht das nicht ohne Verlust und auch nicht ohne etwas Kampf. Auf diesem Planeten gehören Rückschläge zum Lauf der Dinge.

Leider denken manche Menschen, ihr persönlicher Fortschritt sei über alle Gesetze des Universums erhaben. Wenn Maria also eine Diät beginnt und dabei feststellt, daß ihr Fortschritt manchmal ein Rückschritt ist, beschließt sie, es sei zu schwierig für sie, und bleibt ihr Leben lang dick. Und Fritz kommt nach ein oder zwei unvorhergesehenen Ausgaben zu dem Schluß, daß sein eben begonnenes Sparprogramm unmöglich sei, und gibt jede Hoffnung auf eine finanziell unabhängige Zukunft auf.

Erfolgreiche Menschen sind weder besonders brillant noch besonders talentiert oder einzigartig. Aber sie verstehen den Lauf der Dinge und erkennen, daß ihr persönlicher Fortschritt – wie alles andere auch – gewissen Prinzipien unterliegt.

Sie erkennen, daß man, um ein Ziel zu erreichen, ständig korrigieren muß. Wir kommen laufend vom Kurs ab und durch die anschließende Korrektur wieder auf den Kurs zurück. So ist das bei Schiffen, Raketen und Geschossen. Korrigieren. Korrigieren. Korrigieren.

Ein weiterer Grund für das Setzen von Zielen

Wir haben schon besprochen, daß wir uns auf das zubewegen, woran wir am meisten denken. Wenn Sie bestimmte Ziele im Kopf haben, dann steuern Ihre Gedanken Sie auf diese zu, weil Sie sich im allgemeinen viel mit Ihren Zielen beschäftigen. Ohne Ziele steuern Ihre Gedanken Sie auf das zu, woran Sie am meisten denken. Ihr Geist drängt Sie, in der Annahme, dies sei Ihr Ziel, in die Richtung Ihrer häufigsten Gedanken.

Schreiben Sie Ihre Ziele auf!

Allen Vorträgen über Motivation, die ich bis jetzt gehört habe, ist dieses eine gemeinsam: Die Vortragsredner schlagen vor, weisen uns an, bitten darum, bestehen darauf, daß wir unsere Ziele aufschreiben.

Vor dem Einkaufen schreiben Sie sich einen Einkaufszettel, damit Sie bei der Rückkehr aus dem Laden mit den Sachen zurückkommen, die Sie brauchen. Oder wollen Sie sich bei der Rückkehr vielleicht fragen: "Was soll ich denn mit dem Schraubenzieher? Ich wollte mir doch einen Hamburger zum Mittagessen besorgen!"

Man legt lange, ausführliche Listen an für Partys und schreibt die Servietten und Getränke, die Kuchen und Kekse auf, um sicher zu sein, daß alles Erforderliche da ist.

Merkwürdigerweise benutzen aber, obwohl jeder weiß, daß Listen nützlich sind, nur drei Prozent der Menschen Listen, wenn es darum geht, ihr eigenes Leben zu organisieren. Sie stolpern blindlings in ihr wichtigstes Ereignis, ihr Leben, ohne je eine Wunschliste dafür aufzustellen, und wundern sich dann, warum sie nie bekommen, was sie sich wünschen!

Mit einer Liste allein ist es natürlich nicht getan. Listen schaffen nur eine Struktur für das, was wir im Leben erreichen wollen. Trotzdem verwenden viele Menschen mehr Zeit auf das Planen von Geburtstagsfeiern als auf die Planung ihres Lebens und wundern sich dann, warum sie nicht glücklich sind.

Listen sind nützlich! Sie sind gut fürs Einkaufen und fürs Leben.

Des Pudels Kern

Mit Hilfe von Zielen werden wir zu besseren Menschen, als wir schon sind. Wir brauchen Ziele nicht deshalb, weil sie uns etwas verschaffen, sondern deshalb, weil sie etwas mit uns machen.

Einschränkungen

"Ob du nun glaubst, daß dir etwas gelingt, oder nicht -
du hast immer recht."
Henry Ford

Die einzige Einschränkung für unsere Leistung ist der Gedanke, daß wir etwas nicht erreichen können. Daß Menschen, die "ich kann" sagen, vieles können, und Menschen, die "ich kann nicht" sagen, es nicht können, ist ein alter Hut. Ein Mensch sagt sich: "Ich glaube, ich werde es wohl immer schwer haben." Er lernt nichts mehr, ignoriert die Möglichkeiten, die sich ihm bieten, macht keine Überstunden, spart nicht und versucht erst gar nichts, weil "es ja doch keinen Zweck hat". Und siehe da, seine Vorhersage erweist sich als korrekt.

Ein anderer Mensch sagt sich: "Ich schaffe es schon. Ich werde alles unternehmen, was nötig ist. Ich werde so lange arbeiten, wie es sein muß. Ich werde so viel lernen, wie nötig ist. Ich werde so individuell leben, wie erforderlich. Ich kann es schaffen!" Dieser Mensch schafft es.

Erinnern wir uns daran, daß bei beiden Einstellungen etwas herausschaut. Der erste Mensch braucht keine Verantwortung zu übernehmen; das ist ein Vorteil. Er kann sich immer mit "Es ist zu schwierig, mach du es für mich" herausreden. Er kommt um die Selbstdisziplin, die ihn zum Erfolg führen würde, herum. Vielleicht bekommt er sogar etwas Mitleid ab. Den Dummen zu spielen kann sehr schlau und bequem sein. Die Früchte, in deren Genuß der zweite Mensch gelangt, sind offensichtlicher. Er erreicht sein Ziel. Beide Einstellungen haben also ihre Vorteile.

Des Pudels Kern

Wir selbst sind für die Einschränkungen, die wir uns auferlegen, verantwortlich. Der erste Schritt in Richtung besseres Leben besteht darin, uns nicht länger in bestimmte Kategorien einzuordnen.

Behinderungen

Wenn wir unsere eigene Leistungsfähigkeit anzweifeln, lohnt es sich, die Hindernisse zu bedenken, die andere überwunden haben. Um nur ein paar Beispiele anzuführen:

Demosthenes, der hervorragende griechische Redner, litt unter so schweren Sprachstörungen, daß er kaum sprechen konnte. So übte er das Sprechen mit einem Mund voller Kieselsteine, weil er dachte, wenn er das gemeistert habe, könne er auch öffentlich auftreten. Er wurde zu einem der größten Redner aller Zeiten.

Napoleon überwand eine beträchtliche Behinderung, nämlich seinen kleinen Wuchs, und führte seine Armeen auf einen Eroberungszug durch Europa.

Helen Keller ließ sich durch ihre Blindheit und Taubheit nicht davon abbringen, denen zu helfen, denen es noch schlechter ging als ihr selbst.

Abraham Lincoln ging mit 31 bankrott, verlor einen Wahlkampf mit 32, ging bankrott mit 34, begrub seine Liebste mit 35, hatte einen Nervenzusammenbruch mit 36, verlor den Wahlkampf mit 43, 46 und 48, verlor die Senatorenwahl mit 55, verlor die Wahl zum Vizepräsidenten der USA mit 56 und eine weitere Senatswahl mit 58. Im Alter von 60 Jahren wurde er zum Präsidenten der USA gewählt und zählt heute zu den größten Führern in der Geschichte der Welt.

Anwar Sadat begann sein Leben als Bauernjunge. Menachim Begin war ein Straßenjunge im polnischen Ghetto.

Winston Churchill war ein armer Student mit einem Sprachfehler. Er erhielt nicht nur den Nobelpreis für Literatur, sondern wurde auch zu einem der inspirierendsten Redner der jüngeren Vergangenheit.

Atlas, der Mann, der sich einen ''vollkommenen'' Körper schuf, war ursprünglich ein Schwächling von siebenundneunzig Pfund.

Julio Iglesias flog aus dem Schulchor. Das hielt ihn nicht davon ab, zu dem Künstler mit der höchsten Anzahl verkaufter Schallplatten in der Geschichte zu werden.

Alan Bond kam im Alter von 14 Jahren als mittelloser Schildermaler nach Australien. Als internationaler Industriemagnat organisierte er nicht allzu viele Jahre später den Wettbewerb um den *America's Cup*, bei dem den Amerikanern dieser altehrwürdige Pokal zum ersten Mal in 125 Jahren abgejagt wurde.

Diese Liste ließe sich beliebig verlängern. Die Moral muß wohl lauten: *Es kommt nicht darauf an, wo Sie beginnen, sondern wo Sie anzukommen beschließen.*

Behinderungen sind, wenn wir sie so sehen wollen, ein Segen und ein Antrieb zur Selbstverbesserung.

Probleme

''Wir haben es ständig mit großartigen Gelegenheiten zu tun,
die ganz brillant als unlösbare Probleme verkleidet sind.''
John Gardner

Von Zeit zu Zeit mögen Gedanken auftauchen wie: ''Wäre es nicht schön, wenn wir keine Probleme hätten?'' Wir könnten uns den lieben langen Tag am Strand aalen und gar nichts tun. Sie könnten zur Schnecke werden. Schnecken machen sich, soweit uns bekannt ist, kaum Sorgen.

Ich vermute aber, daß Sie, wenn Sie erst einmal acht Jahre lang im Sand gelegen und Ihren Nabel betrachtet haben, verzweifelt nach einer möglichen Aufgabe suchen.

Probleme lösen und neue Wege finden liegt in unserer Natur. Dazu sind wir geschaffen. Probleme sind ein inhärenter Teil des Universums. Sie geben uns Lernanstöße, vermitteln uns Erfahrungen und sorgen dafür, daß wir nicht nur auf unserer faulen Haut liegen. Hunde sind keine besonders guten Problemlöser. Als Hund kann man die Dinge leichtnehmen. Schweine sehen das Leben sogar noch gelassener. Aber wer will schon ein Schwein sein?

Das einzigartige am Menschsein ist, daß die Spannweite unseres Erlebens so viel breiter ist und daß wir aus dem Nichts etwas schaffen können. Schweine komponieren keine Symphonien. Hunde gründen keine Firmen. Muscheln gehen nicht ins Kino. Zum Menschsein gehören Probleme und auch Liebe, Lachen, Weinen, Sich-Anstrengen, Aufstehen und Hinfallen und Wieder-Aufstehen.

Positive Denker halten Probleme für nichts anderes als für Lernanstöße. Das mag sich wie ein alter Hut anhören, enthält aber eine gute Portion gesunden Menschenverstandes, und Babys und Kinder leben im allgemeinen nach diesem Prinzip. Ein zehn Monate altes Baby sieht alles als Herausforderung, und das Leben ist eine faszinierende Entdeckungsreise: Da gibt es zum Beispiel die Möglichkeit, neue Töne zu erzeugen, die Möglichkeit, Dinge aufzuheben, die Gelegenheit, etwas zu essen, und wenn man das Essen auch werfen kann, ist das ein Riesenspaß. Kinder werfen sich mit einer wunderbar rücksichtslosen Begeisterung ins Leben, radeln um die Wette, klettern auf Leitern, springen in die Brandung oder von Bäumen!

Genau genommen begegneten Ihnen die größten Herausforderungen, denen Sie sich je gegenübersahen, in Ihren ersten Lebensjahren. Sie meisterten damals die Probleme des Gehens, Sprechens, Laufens und so weiter.

Irgendwie werden aus mutigen kleinen Draufgängern dann oft Erwachsene, die so verschüchtert und verängstigt sind, daß ihnen die winzigste Aufgabe als unüberwindbares Riesenmonstrum erscheint. Glücklicherweise beginnen die wenigsten Erwachsenen ihr Leben mit der Einstellung "Das schaffe ich nie", sonst müßte man sie mit sechsundvierzig noch im Kinderwagen spazierenfahren!

Ist es nicht verrückt, daß wir von Kindern mehr erwarten als von Erwachsenen? In der Schule heißt es: "Entweder du lernst wie man 'Katze' und 'Maus' buchstabiert, und prägst dir die Buchstaben des Alphabets ein, oder du kommst nicht über die erste Klasse hinaus." Mit anderen Worten: Wir machen ihnen klar, daß sie etwas leisten müssen, sonst geht es ihnen schlecht. Leider gilt diese Botschaft für viele Erwachsene nicht mehr.

Viele Erwachsene kommen irgendwann einmal zu der Ansicht, daß das Leben sie ohne jedes Dazutun ihrerseits automatisch belohnen sollte. Sollten wir Erwachsenen nicht ähnlichen Fortschritt von uns selbst verlangen und uns fragen: "Was habe ich in den letzten zwölf Monaten Neues gelernt? Was kann ich dieses Jahr, was mir letztes Jahr nicht gelang?"

Des Pudels Kern

Probleme zwingen uns zum Weiterwachsen. Wie Horaz sagte: "Mißgeschick enthüllt Genialität, Wohlergehen verdeckt sie."

Fehler

Es war einmal ein Mann, der jammerte, weil Gott nie zu ihm spreche. "Warum schickt mir der Herr nie eine Botschaft wie anderen Menschen?" fragte er seinen Freund. "Aber Gott spricht doch zu dir," versicherte ihm sein Freund. "Er teilt sich dir durch deine Fehler mit."

Fehler sind Rückmeldungen und zeigen uns, wo wir stehen. Sieger machen viel mehr Fehler als Verlierer. *Deshalb* gehören sie zu den Gewinnern. Sie erhalten mehr Feedback, weil sie mehr Möglichkeiten ausprobieren. Das einzige Problem bei den Verlierern ist, daß sie ihre Fehler so ernst nehmen, daß sie deren positive Seiten übersehen.

Wir lernen weit mehr aus unseren Fehlschlägen als aus unseren Siegen. Wenn wir verlieren, denken wir nach, analysieren wir, ordnen wir um und planen neue Strategien. Wenn wir gewinnen, feiern wir nur und lernen sehr wenig. Auch aus diesem Grund sollten wir unsere Fehler willkommen heißen!

In einer legendär gewordenen Episode aus dem Leben Thomas Edisons fragt ein Mann den Erfinder, was für ein Gefühl es denn sei, in seinem Bemühen um die Herstellung einer elektrischen Glühbirne so oft versagt zu haben. Edison erwidert, er habe überhaupt nicht versagt, sondern erfolgreich Tausende von Arten entdeckt, auf die Glühbirnen *nicht* herzustellen seien! Diese gesunde Einstellung zu Fehlern ermöglichte es Edison, einen Beitrag für die Menschheit zu leisten, der zu den größten der Welt gehört.

Wernher von Braun war sich der Tatsache, daß Fehler ein wesentlicher Bestandteil des Lernprozesses sind, auch bewußt. Im zweiten Weltkrieg entwickelte er eine Rakete, mit der die Deutschen London bombardieren wollten. Nach einer beträchtlichen Zeit konfrontierten ihn seine Vorgesetzten mit der Frage, wie viele Fehler er bis zum erfolgreichen Abschluß des Projekts noch machen müsse. Bis zu diesem Zeitpunkt hatte er 65 121 Fehler gemacht. "Ungefähr noch fünftausend", antwortete er! Er sagte: "Um für den Bau einer Rakete qualifiziert zu sein, muß man ungefähr 65 000 Fehler machen. Rußland machte bis jetzt an die 30 000. Amerika keinen einzigen." In der zweiten Hälfte des Krieges beschoß Deutschland seine Feinde mit den Lenkraketen von Brauns. Kein anderes Land hatte solche Waffen. Einige Jahre später wurde von Braun zu einem der führenden Köpfe im Raumfahrtprogramm der USA, das 1969 den ersten Menschen zum Mond schoß.

Kolumbus suchte einen kürzeren Weg nach Indien und fand Amerika.

Verbundglas, bei dem eine Schicht Plastik zwischen zwei Glasscheiben gepackt wird, wurde aus Versehen entdeckt. Es ist bruchsicher und hat Tausende von Leben gerettet. Fehler und Unfälle haben ihren Sinn und Zweck.

Der Gründer von IBM, Thomas J. Watson, sagte: "Wer Erfolg haben will, muß die Anzahl seiner Fehler verdoppeln."

93

Des Pudels Kern

Fehler sind nicht wirklich Fehler. Wir sollten erwarten, daß wir uns in unserem Urteil manchmal irren, und sie als Teil des Lernprozesses willkommen heißen. Wenn wir uns selbst nicht so wichtig nehmen, ist es auch viel leichter, mit ein paar Fehlern zu leben. Die Schande liegt nicht im Versagen, sondern darin, es gar nicht erst versucht zu haben.

"Ich habe noch nie einen Fehler gemacht."

"Aber ich habe auch noch nie etwas unternommen!"

Das Gesetz von Säen und Ernten

"Erfolg ist eine reine Glückssache. Das kann Ihnen jeder Versager bestätigen."
Earl Wilson

Newton entdeckte das Gesetz von Ursache und Wirkung, das mit anderen Worten besagt, daß es für jede Handlung oder Aktion eine gleichwertige Gegenreaktion gibt. Wir bekommen nur etwas zurück, wenn wir zuerst etwas hergeben. Wenn wir Tomaten pflanzen, ernten wir keine Disteln. Wir müssen uns vor Augen halten, daß sich dieses Prinzip auf unser gesamtes Tun und Erleben auswirkt.

Um dieses Gesetz kommen wir nicht herum. Unsere körperliche und geistige Gesundheit, unsere geschäftlichen Erfolge und unsere persönlichen Beziehungen werden durch diese Gleichung bestimmt, die besagt, daß wir "Vorauskasse" leisten müssen. Das Faszinierende an diesem Gesetz liegt darin, daß wir nie genau wissen, wann die Belohnung kommt; wann wir die Dividende für unsere Zeit und Mühe einstreichen können. Doch kommt die Belohnung immer, und die Ungewißheit in bezug auf ihre Ankunftszeit dient nur dazu, das Leben spannender zu machen.

Außerdem ist das, was uns das Leben im Augenblick beschert, das Ergebnis dessen, was wir bis jetzt ausgesät haben. Wenn wir jetzt warme Freundschaften und liebevolle

Beziehungen erleben, dann deshalb, weil wir den Boden dafür bereitet und die Keime dazu gepflanzt haben. Wenn unser Geschäft floriert, dann deshalb, weil wir uns um dieses Ergebnis bemüht haben.

Wenn wir über andere reden, redet man auch über uns. Wenn wir gut über andere sprechen, sprechen auch sie gut über uns. Wenn wir andere betrügen, werden wir betrogen. Wenn wir uns am Erfolg anderer freuen, wächst die Wahrscheinlichkeit, daß wir uns bald auch über unseren eigenen Erfolg freuen können. Wenn wir lügen, werden wir belogen. Wenn wir kritisieren, werden wir kritisiert. Wenn wir lieben, wird uns Liebe zuteil.

Diese goldene Regel wurde im Lauf der Geschichte auf viele verschiedene Arten ausgedrückt, doch das Prinzip bleibt konstant: "Andere behandeln dich so, wie du sie behandelst. Du bekommst das zurück, was du ausgibst."

Auf einem ägyptischen Grab aus dem Jahr 1600 v. Chr. stehen die Worte: "Er suchte für andere das Gute, das er sich selbst wünschte."

Konfuzius lehrt: "Was du nicht willst, daß dir geschieht, das füge auch anderen nicht zu."

Aristoteles sagte: "Wir sollten uns der Welt gegenüber so verhalten, wie wir von der Welt behandelt werden wollen."

In der Bibel steht zu lesen: "Tue anderen, wie du willst, daß sie dir tun."

Diese Prinzipien regeln sowohl unsere Beziehungen als auch unsere Erfolge in allen anderen Lebensbereichen. James Allen drückt es in seinem Buch *As Man Thinketh* besonders schön aus:

*"Das Gesetz seines Seins bestimmt,
wo sich ein Mensch auf seinem Lebensweg befindet; die Gedanken, die er in
seinen Charakter eingebaut hat,
haben ihn dort hingebracht, und
es gibt kein Zufallselement in
der Anordnung seines Lebens,
sondern alles ist das Ergebnis
eines unfehlbaren Gesetzes.*

Solange der Mensch sich für ein Geschöpf der äußeren Umstände hält, wird er von den Umständen herumgestoßen; wenn er aber erkennt, daß er eine schöpferische Kraft ist und daß er über den verborgenen Boden und Samen seines Wesens, aus dem die Umstände erwachsen, verfügen kann, wird er zum rechtmäßigen Herrn über sich selbst.

Daß äußere Umstände aus Gedanken erwachsen, weiß jeder Mensch, der eine Zeitlang Selbstkontrolle und Selbstreinigung praktiziert hat, denn er wird bemerken, daß die Veränderung der äußeren Umstände in genau dem Maße erfolgte, in dem er seine geistige Einstellung veränderte."

Die Unwissenden, die oft abseits stehen, die Außergewöhnlichen beobachten und denken: "Ich wünschte, ich hätte auch so viel Talent!" oder "Wenn ich doch nur auch so ein Glück hätte", sehen die Monate und Jahre der Anstrengung nie, die den Erfolg eines Menschen ausmachten. Wie oft lesen wir von einem "Erfolg über Nacht" im Showgeschäft und finden dann heraus, daß dieser Superstar sich in Wirklichkeit schon seit fünfzehn Jahren schindet!

Das wunderbare an der Natur ist, daß sie uns viel mehr zurückgibt, als wir ausgeben. Wenn Sie einen Kürbissamen pflanzen, bekommen Sie mehr als nur einen Kürbissamen zurück! Weshalb sollte man sich sonst die Mühe machen? Die Natur ist sehr großzügig. Wenn Sie nur ein paar Samen pflanzen, haben Sie am Ende womöglich einen Lastwagen voller Kürbisse. Und auch dieses Prinzip gilt für all unser Tun, aber zuerst müssen wir aufs Feld hinaus und graben!

Des Pudels Kern

Das Universum ist fair und gerecht. Wir bekommen vom Leben nur das zurück, was wir hineinstecken.

Risiko

"Ein ganzes Menschenwesen zu sein kostet so viel, daß nur sehr wenige die Liebe und den Mut besitzen, diesen Preis zu bezahlen. Man muß das Streben nach Sicherheit vollkommen aufgeben und mit beiden Armen nach dem Risiko des Lebens greifen. Man muß das Leben umarmen wie eine Geliebte."

Morris West

Das Erreichen eines Ziels ist immer mit Risiko verbunden. Fritz mag sagen: "Also, ich gehe keine Risiken ein. Ich wage mich nicht auf die dünnen Äste hinaus!" Dabei entgeht Fritz, daß die dünnen Äste diejenigen sind, die die Früchte tragen. Und dort draußen, an den dünnen, unsicheren Ästen hingen die Früchte schon seit eh und je. Auf diesem Planeten herrscht ein Gesetz, das dafür sorgt, daß die Belohnung *nach* dem Risiko kommt, und nicht umgekehrt.

Die meisten von uns haben zu Beginn ihres Lebens eine gesunde Einstellung zu Risiken. Als Kinder können wir es kaum erwarten, uns auf neue Abenteuer zu begeben. Deshalb finden Mütter ihre Zweijährigen unweigerlich auf der höchsten Sprosse der Leiter, beim Spaziergang auf der Autobahn, auf dem Dach, oder erwischen sie dabei, wie sie das Pferd am Schwanz ziehen und dergleichen. Ein gesundes und glückliches Kind testet seine Fähigkeiten und wächst so gerne wie ein gesunder, glücklicher Erwachsener. Wenn wir unsere ersten, wackeligen Schritte unternehmen, wenn wir die Kunst des Gehens meistern, gehen wir Risiken ein. Und wir tun es mit Begeisterung!

Irgendwie ändert sich diese Einstellung in der Zeit zwischen zwei und zweiundzwanzig bei vielen Menschen dramatisch. Sie beschäftigen sich jetzt hauptsächlich damit, sicher und abgesichert zu sein. Am Abend kleben sie am Fernseher und sind von den waghalsigen Großtaten ihrer Zelluloidhelden verzaubert. Sie laden sich mit großen Dosen an Schmalzfetzen und Situationskommödien auf, während ihr eigenes Leben zu einer langen Abfolge langweiliger und immer langweiligerer Jahre verkommt.

Die Würze des Lebens besteht darin, etwas Neues zu unternehmen, aus unserer Eigensubstanz heraus etwas zu schaffen. Nach Sicherheit und Absicherung trachten erstickt unsere Lebenskraft. Optimalen Schutz und Sicherheit und Freisein von allen Sorgen genießen wir, wenn wir zwei Meter unter der Erde in einer Kiste liegen.

ICH WÜNSCHE MIR SPANNUNG IN MEINEM ·LEBEN·

..ABER KEINE RISIKEN

Wenn wir lieben und uns kümmern, risikieren wir etwas. Zu einem anderen "Ich liebe dich" sagen, kann eine riskante, aber auch eine phantastisch lohnenswerte Angelegenheit sein. Anders sein ist riskant, bedeutet aber auch die Chance, wir selbst zu sein. Gefährliche und schwierige Berufe sind sehr gut bezahlt. Tatsächlich ermutigt uns das Universum immer dazu, uns zu strecken, zu klettern, außergewöhnlich zu sein.

Wer etwas gewinnen will, muß auch etwas riskieren. Wenn wir gehen lernen wollen, müssen wir riskieren, zu fallen und uns wehzutun. Um eine Mark zu verdienen, müssen wir das Risiko eingehen, sie zu verlieren, und die Menschen, die am meisten Profit machen, riskieren auch das meiste. Wenn wir ein Tennisspiel gewinnen wollen, müssen wir uns der Möglichkeit stellen, es zu verlieren.

Gewinner gehen mehr Risiken ein als Verlierer. Deshalb gewinnen sie so viel. Notwendigerweise verlieren Gewinner viel mehr als Verlierer, aber sie spielen so oft, daß sich ihre Gewinne ansammeln – und wir erinnern uns an die Gewinner ihrer Siege, nicht ihrer Fehlschläge wegen. Wenn wir an Edison denken, dann denken wir an ihn als den Erfinder der Glühbirne. Wir denken dabei nicht an seine Wagenladung nicht funktionierender Glühbirnen.

Des Pudels Kern

Wir haben die Wahl. Die Wahl zwischen wirklich leben oder nur existieren. Eine Arbeit annehmen ist ein Risiko. Die Straße überqueren ist ein Risiko. Ein Geschäft aufmachen, eine Beziehung eingehen, eine Familie gründen ist ein Risiko. Essen im Restaurant ist ein Risiko (manche Restaurants sind riskanter als andere). Das Leben ist ein Risiko. Wir wollen uns auf die etwas dünneren Äste vorwagen und dort die süßen Früchte pflücken.

Engagement

"Bis man sich festgelegt hat,
ist noch ein Zögern vorhanden, die Möglichkeit des Rückzugs,
immer ineffektiv.
Bei allen Taten, die etwas initiieren (und schaffen),
gibt es eine grundlegende Wahrheit,
die, wenn man nicht um sie weiß, zahllose Ideen tötet
und herrliche Pläne:
daß in dem Augenblick, in dem man sich wirklich zu etwas verpflichtet,
auch die Vorsehung in Bewegung gerät.
Und alle möglichen Dinge geschehen, die uns helfen,
die andernfalls nie eingetreten wären.
Ein ganzer Strom von Ereignissen entspringt aus dem Entschluß,
die zu unseren Gunsten alle Arten
unvorhergesehener Ereignisse, Begegnungen
und materielle Hilfe hervorbringen,
von denen wir nie zu träumen gewagt hätten,
daß sie unseres Wegs kämen."
W. N. Murray

"Was immer du tun oder erträumen kannst, ... fange es an. Kühnheit trägt Genialität, Stärke und Zauberkraft in sich."   Goethe

Wir müssen den ersten Schritt tun. Solange wir nur am Rande der Szene herumstehen und nicht bereit sind, uns hineinzubegeben, scheint das Universum die Haltung einzunehmen: "Na, es scheint dir ja nicht wirklich ernst zu sein. Wenn du dich erst einmal wirklich darauf festgelegt hast, dann wird dir Hilfe zuteil."

In dem Augenblick, in dem wir erklären: "Ich werde es tun, ganz gleich, was auch geschieht!", zapfen wir irgenwie diese "Genialität, Stärke und Zauberkraft" an.

Jeder, dem im Leben etwas gelingt, hat zuvor den entsprechenden Entschluß dazu gefaßt. Der Bergsteiger, der den Everest bezwingt, ist derjenige, der sich sagt: "Ich *werde* es schaffen." Wer erklärt: "Ich werde mein Bestes tun" oder "Ich versuche es einmal" oder "Mal sehen", wird wahrscheinlich vorzeitig nach Hause zurückkehren. Dasselbe gilt für den Geschäftsmann, den Sportler, den Ehemann und die Ehefrau. Wenn wir Erfolg haben wollen, muß es uns ernst sein.

Das Leben Gandhis bezeugt, daß ein Mensch, der fest und unerschütterlich zu etwas entschlossen ist, tatsächlich den Lauf der Geschichte seines Volkes verändern kann. Disraeli drückt das gut aus, wenn er sagt: "Nichts kann dem menschlichen Willen widerstehen, der sogar seine Existenz für das Erreichen seines Zieles aufs Spiel setzt."

Wir sollten uns auch darüber im klaren sein, daß die Menschen uns testen, wenn wir uns auf etwas festlegen. Kinder tun das mit ihren Eltern dauernd. Sie testen und testen sie und hoffen heimlich, daß die Eltern fest bleiben.

Die Menschen suchen immer nach etwas, das sie bewundern können. Ihr Schwager sagt vielleicht: "Trägst du dich immer noch mit diesem verrückten Plan?" Und obwohl Ihre Nachbarn Sie fünf Minuten nach der Ankündigung einer neuen Diät mit Schokoladenkuchen zu verführen suchen, hoffen alle heimlich darauf, daß Sie stark bleiben und zu Ihrem Entschluß stehen.

Wenn wir uns zu etwas entschließen, geschieht außerdem noch etwas Interessantes. Häufig reicht schon der Entschluß an sich. Mit anderen Worten: Wenn Sie zu allem bereit sind, um Ihr Ziel zu erreichen, wird im allgemeinen nicht alles von Ihnen verlangt. Wenn Sie aber nur halb entschlossen sind, kann es sein, daß Sie bis an die Grenzen Ihrer Standhaftigkeit getestet werden!

Des Pudels Kern

Jemand drückte es folgendermaßen aus: "Um zu erreichen, was immer du auch willst, mußt du tun, was auch immer dazu nötig ist!"

Anstrengung

"Es geht nichts über ein kostenloses Mittagessen!"

Insekten und Tiere sind fast immer beschäftigt; sie bereiten sich auf den Winter und dann den Frühling vor, putzen sich und ihre Nester, füttern ihre Jungen und tun, was Tiere eben so tun. Sie sind hundertprozentig lebendig und dabei. Es sieht auch so aus, als seien sie sehr zufrieden.

Wir können von Tieren lernen. Um glücklich zu sein, müssen wir emsig sein. Wenn wir die Dinge vernachlässigen, kommt uns das teuer zu stehen. Die Dinge werden nicht besser, wenn wir sie vernachlässigen, Seeleute wissen das von ihren Booten, Sportler von ihren Körpern, Studenten von ihrem Gedächtnis, wir alle wissen es von unserer Garage. Jeder Gärtner findet schnell heraus, daß Unkraut automatisch wächst. Wenn Sie Gestrüpp in Ihrem Garten haben wollen, brauchen Sie nicht ein einziges Unkraut zu *pflanzen*. Die Dinge werden nur besser, wenn wir uns darum bemühen.

Unsere Einstellung in bezug auf Mühe und Anstrengung ist wichtig.

Wir müssen uns Mühe machen, weil wir es *wollen,* weil es ein Privileg und eine Freude ist zu lernen, uns auf die Probe zu stellen, etwas auszuprobieren und zu erleben. Die Menschen begehen den Fehler, nur um der Endresultate und nicht um der Freude an der Arbeit willen zu arbeiten. Wenn sie dann nicht die gewünschten Ergebnisse erzielen, sind sie enttäuscht.

Ein Verkäufer macht vielleicht viele Telefonanrufe, kommt aber zu keinem Verkaufsabschluß und denkt dann, er habe einen schlechten Tag. Nein! Er muß anrufen, weil er gerne Telefongespräche führt. Er muß sich an seiner Fähigkeit, Neues zu erleben oder seine Geschicklichkeit zu verfeinern, und an seiner Ausdauer freuen. Wenn er sich auf den Standpunkt stellt: "Ich freue mich an dem, was ich tue, einfach um des Tuns willen. Während ich es tue, werde ich meine eigene Lebendigkeit genießen und meine Aufmerksamkeit voll auf meine Aufgabe richten," dann ist jedes mögliche Ergebnis ein Gewinn.

Emerson sagte: "Der Lohn für eine gut gemachte Arbeit besteht darin, daß man die Arbeit gut gemacht hat." Wenn wir uns zu sehr an Ergebnisse hängen, sind wir nicht mehr im jetzigen Augenblick. Wenn wir aber von den Ergebissen ein wenig Abstand nehmen, können wir, was wir tun, um seiner selbst willen genießen.

Nehmen wir an, Sie sind zu Besuch bei Ihrer Schwiegermutter und beschließen, als Überraschung deren Auto zu waschen. Eine Art der Einstellung dabei ist: "Ich werde hier draußen ganz schön naß. Ich hoffe nur, daß sie das auch zu schätzen weiß und mir innig dafür dankt, sonst ärgere ich mich." Das ist die Einstellung eines Verlierers. Die Alternative lautet: "Ich werde beim Autowaschen Freude haben, weil ich die Kontrolle über meinen Geist habe, und wenn ich mich an etwas freuen will, dann kann ich das auch. Ich werde sehen, wie schnell und effektiv ich die Arbeit tun kann." Wenn jetzt die Schwiegermutter Sie mit Dank überschüttet, dann ist das nett – eine Sonderprämie. Wenn nicht, ist das auch in Ordnung. Es hat Ihnen ja trotzdem Spaß gemacht.

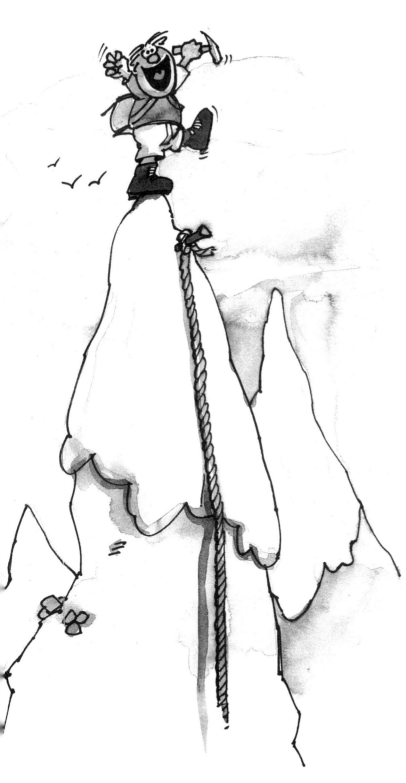

Wenn wir arbeiten, weil wir unsere Arbeit lieben und gerne dabei sind, dann gibt es kein Problem. Erfolge stellen sich immer ein. Das kann gar nicht anders sein. Es ist ein Gesetz. Wenn die Erfolge aber erst später eintreten oder nicht zu dem Zeitpunkt, zu dem Sie sie erwarten, dann verdirbt Ihnen das nicht Ihre ganze Woche (oder Ihr ganzes Jahr). Die Ergebnisse kommen auf jeden Fall.

Arbeiten Sie jetzt um der Liebe zur Arbeit willen? Entschließen Sie sich dazu. Es ist damit wie mit dem Glücklichsein. Es ist ein Beschluß. Wie James M. Barrie sagte: "Das Geheimnis des Glücklichseins besteht nicht darin, das zu tun, was man gerne macht, sondern das zu mögen, was man tut."

Des Pudels Kern

Eine Geschichte um den berühmten Geiger Fritz Kreisler illustriert wunderbar die Beziehung zwischen der Anstrengung und dem Erfolg. Nach einem virtuosen Auftritt sprach ihn eine Frau an: "Herr Kreisler, ich gäbe mein Leben dafür, so spielen zu können wie Sie!"

Er lächelte die Frau an und sagte: "Genau das tat ich!"

Wenn wir uns verändern, ändern sich die Dinge.

Viele Menschen warten ihr Leben lang darauf, daß die Dinge besser werden. Sie wünschen sich, es wäre leichter, und hoffen anscheinend darauf, daß eines Tages ein Zauberstab zu ihnen herniederschwebt und ihre Probleme löst. So geht das nicht!

Die Dinge bessern sich, wenn wir uns bessern. Die Dinge ändern sich, wenn wir uns verändern, nicht vorher. Der amerikanische Geschäftsmann und Multimillionär James Rohn sagt in seinen Seminaren: "Wenn Sie sich nicht ändern, werden Sie immer genau das haben, was Sie jetzt haben!" und "Wenn Ihnen jemand eine Million Dollar aushändigt, dann ist es am besten, Sie werden zu einem Millionär, sonst bleibt Ihnen das Geld nicht erhalten!" Wir müssen uns die Mühe machen und die Fachkenntnisse und das Selbstbild entwickeln, die mit so viel Reichtum Hand in Hand gehen, sonst finden wir in aller Einfalt Wege, unser Vermögen "umzuverteilen".

Unser Besitz beruht auf unserem Sein. Untersuchungen ergaben, daß die Mehrzahl der Leute, die in der Lotterie große Geldsummen gewinnen, es fertig bringen, in Rekordzeit wieder in ihre früheren finanziellen Schwierigkeiten zurückzugelangen. Zwei Jahre nach einem großen Gewinn befinden sich vier von fünf Menschen in einer schlimmeren Finanzlage als vor ihrem Glücksfall. Sie haben sich innerlich nicht verändert, und ihre äußeren Umstände sind ein Spiegel dessen, was in ihrem Inneren vor sich geht.

Es führt kein Weg daran vorbei. Wenn die Dinge besser werden sollen, müssen wir selbst besser werden. Wenn wir uns nicht anstrengen, wird das Heute dem Gestern sehr ähnlich.

Geben Sie immer Ihr Bestes

Wenn Sie sich mit ganzer Kraft und allem, was Sie haben, hinter *jede* Ihrer Unternehmungen stellen, schließt das Fehlschläge nicht aus. Wenn Sie sich mit ganzer Kraft und allem, was Sie haben, hinter jede Ihrer Handlungen stellen, dann schließt das Enttäuschungen nicht aus. Warum sich dann die Mühe machen?

Die Antwort lautet: "Um Ihrer Selbstachtung willen."

Wenn Sie sich die Philosophie "Ich werde, was auch geschieht, immer mein Bestes geben" zu eigen machen, dann stehen Sie in Ihrer eigenen Einschätzung immer gut da.

Des Pudels Kern

Verlieren tut weh, aber zu wissen, daß man nicht sein Bestes getan hat, schmerzt noch mehr.

"Supermann, wo bist du?"

Die elfte Stunde

W enn man sich Ziele setzt und sie verfolgt, ist es wichtig, über die sogenannten "elften Stunden" Bescheid zu wissen.

Ist Ihnen je aufgefallen, daß die Dinge im Leben kurz vor der entscheidenden Wende zum Besseren manchmal wirklich mies aussehen? Geschäftsleute berichten oft, daß sie, kurz bevor sie ihr Vermögen machten, kurz davor standen aufzugeben. Sie trieben scheinbar ohne Ruder im Wildwasser, als sich plötzlich alles wie von selbst in Ordnung brachte. Sie hielten lange genug durch, um die Belohnung zu ernten.

Wir lesen von Spitzensportlern, die am Boden zerstört waren und kein einziges Spiel gewannen. Kurz vor dem Aufgeben, blieben sie doch lange genug dabei, um die Kehrtwendung ihrer Karriere zu erleben und den Ruhm einzuheimsen.

Vielleicht erlebten auch Sie Zeiten, in denen Sie sich fragten, ob das Leben der Mühe wert sei, und begegneten dann jemandem, der Sie in alle Wolken hob.

Das Leben ist so, weil hier ein Prinzip am Werk ist: das Prinzip der "elften Stunde". Kurz vor der Dämmerung ist es immer am kältesten und dunkelsten. Wenn wir aber lange genug bei etwas bleiben, bekommen wir unsere Belohnung.

Wir sehen dasselbe Prinzip bei der Geburt. Kurz vor dem unglaublichsten Geschenk des Lebens wird die Geduld der werdenden Mutter intensiv getestet, und sie erlebt viel Schmerz und Angst. (Meine Mutter sagte mir, es habe sich wirklich gelohnt!)

Wenn wir die elfte Stunde erst einmal als das erkannt haben, was sie ist, verliert das Leben viel an Traumatischem. In Wirklichkeit scheint das Universum uns oft zu testen, um herauszufinden, ob es uns mit unserem Ziel ernst ist. Wenn wir nur dieses letzte bißchen noch dabeibleiben, ... Bingo!

Haben wir erst einmal erkannt, was tatsächlich los ist, sind wir den Umständen einen Schritt voraus. Wenn dann wieder einmal alles trüb aussieht, sagen wir uns: "Also es geht alles schief! Das bedeutet wahrscheinlich, daß ich das Ziel meiner Wünsche fast erreicht habe." Dann sollten wir uns besser fühlen.

Wir werden im allgemeinen auf irgendeine Art getestet, bevor uns etwas Wertvolles gelingt. Wenn wir die elfte Stunde als das verstehen, was sie ist, und jede Schwierigkeit als notwendigen Teil des Leistungsprozesses behandeln, sind wir erstens keine Aussteiger und erreichen zweitens, was wir uns im Leben wünschen.

Des Pudels Kern

Lassen Sie sich nicht täuschen. Die elfte Stunde ist für gewöhnlich ein Hochstapler. Wenn alles schwarz aussieht, kann das ein Grund zum Feiern sein. Sie sind vielleicht beinahe am Ziel.

Beharrlichkeit

"Nichts auf der Welt kann Beharrlichkeit ersetzen. Begabung nicht, denn es ist nichts weiter verbreitet als erfolglose Menschen mit Talent. Genialität nicht, denn unbelohnte Genialität ist fast sprichwörtlich. Ausbildung nicht, denn die Welt ist voller gebildeter Wracks. Beharrlichkeit und Entschlossenheit allein sind allmächtig. Das Motto 'Bleib dabei' hat die Probleme des Menschengeschlechts schon immer gelöst und wird sie auch weiterhin lösen."

Calvin Coolidge

Beharrlichkeit ist ein Geheimnis. Erfolgreiche Leute kennen dieses Geheimnis – sie erkennen, daß dies die Hauptzutat für Erfolg in jeder Branche ist. Versager halten Beharrlichkeit oft für eine Art "Extrazutat, je nach Geschmack".

Die meisten Menschen geben auf. Wo immer wir auch hinsehen, sehen wir hauptsächlich Menschen, die aufgegeben haben. Die meisten Menschen, die ein Instrument erlernen, geben auf. Wie viele Ihrer Bekannten spielen "ein bißchen Klavier" oder ein paar Akkorde auf der Gitarre? Sie haben es eine Weile versucht, die Erfolge kamen nicht schnell genug, und so gaben sie auf und suchten sich etwas Leichteres.

Die meisten Menschen, die in einem Malkurs das Malen mit Ölfarben lernen wollen, geben auf. Die meisten Versicherungsagenten geben auf. (In der Tat geben von hundert Versicherungsagenten ungefähr achtundneunzig im ersten Jahr auf!) Übrigens geben die meisten Menschen, die sich überhaupt in der Verkaufsbranche versuchen, auf.

Viele, die ein Universitätsstudium beginnen, geben auf. Am Jahresbeginn gibt es nur Stehplätze. Am Ende des Jahres gibt es genügend Platz, um im Hörsaal einen Lastwagen zu parken! Die meisten Menschen, die ein Fitneßprogramm beginnen, geben auf. Leute, die Sparpläne aufstellen, geben auf. Leute, die sich daran machen, Bücher zu schreiben, geben auf.

Die meisten Menschen geben auf. Das ist für diejenigen unter uns, die sich entschlossen haben, erfolgreich zu sein, eine wunderbare Nachricht. Es bedeutet, daß wir, wenn wir bei dem bleiben, was wir tun, in sehr kurzer Zeit einen Vorsprung vor den Massen haben. Wie man sagt: "Ein Großverdiener ist nichts anderes als ein Kleinverdiener, der weiterverdient hat!"

Edison produzierte Tausende von Erfindungen, unter anderem die Glühbirne und das Grammophon. Sein Einfluß auf diesen Planeten ist enorm. Es ist zu einfach, sein schöpferisches Genie zu beneiden und die außerordentliche Beharrlichkeit, mit der er an seinen Projekten arbeitete, zu übersehen.

Er sagte: "Genie ist ein Prozent Eingebung und neunundneunzig Prozent Schweiß. ... Ich habe nie etwas Gutes durch Zufall geleistet, noch ergab sich eine meiner Erfindungen durch Zufall. Sie entstanden durch Arbeit."

Michelangelo, einer der größten Maler und Bildhauer überhaupt, bemerkte einmal: "Wenn die Menschen wüßten, wie hart ich arbeiten mußte, um diese Meisterschaft zu erlangen, erschiene sie ihnen überhaupt nicht wunderbar."

Die Geschichte ist gespickt mit klassischen Beispielen an Beharrlichkeit. Der "Hühnchenmann", Colonel Sanders, zog mit seinem damals noch nicht berühmten Rezept von Tür zu Tür durch eintausendundneun Restaurants, Nahrungsmittelketten, Gaststätten und Stehbuden, bis er endlich auf Interesse stieß. Sein späterer Erfolg zeigt, wieviel Wert ein bißchen "Kentucky Fried Beharrlichkeit" hat.

Im Alter von zwanzig Jahren hatte Julio Iglesias einen Autounfall, der ihn von der Taille an abwärts lähmte. Es sah so aus, als würde er den Rest seines Lebens im Rollstuhl verbringen, aber Julio weigerte sich, diese Möglichkeit zu akzeptieren. Er übte zwei Monate lang täglich zwölf Stunden, nur um den kleinen Zeh ein bißchen bewegen zu können. Stück um Stück erkämpfte er über einen Zeitraum von beinahe zwei Jahren den Gebrauch seiner unteren Gliedmaßen wieder. Er zog sich mit den Armen durch den Korridor im Haus seiner Eltern und hoffte, seine Beine würden irgendwie verstehen, daß sie wieder arbeiten sollten.

Er ließ den ganzen Korridor entlang Spiegel anbringen, so daß er sich selbst motivieren konnte, während er sich so dahinschleppte. Schließlich baute er mit derselben Entschlossenheit und demselben Engagement für Spitzenleistungen, die seinen Körper wieder restauriert hatten, auch seine Karriere als internationales Schallplattenwunder auf.

Erinnern Sie sich an die Augenblicke, in denen Sie Menschen beim Aufgeben beobachteten - auf dem Tennisplatz, beim Kartenspiel, im Geschäft, in Beziehungen. Meistens macht das Aufgeben keinen Spaß, und es macht noch weniger Spaß, Menschen beim Aufgeben zu beobachten.

Natürlich gibt es Zeiten, wo Aufgeben das klügste ist. Wenn das Schiff sinkt, ist es Zeit, von Bord zu gehen. Wir sollten Sturheit nicht mit Beharrlichkeit verwechseln! Wenn Sie Ihre Arbeit hassen, Ihnen Ihr Wohnort nicht gefällt oder wenn Sie anderswo bessere Chancen sehen, dann ist Aussteigen manchmal die beste Lösung.

Das Problem ist, daß für manche das Aufgeben zur Gewohnheit wird - zu einem "beharrlichen" Muster.

Des Pudels Kern

Zu jeder *außergewöhnlichen* Errungen-schaft gehört Beharrlichkeit. Auf das Durchhaltevermögen kommt es an.

Fragen und bitten

"Bitte, und es wird dir gegeben."

Wenn Sie Ihr gewünschtes Ziel erreichen wollen, lautet die erste Lektion: *Fragen* Sie danach, *bitten* Sie darum! Haben Sie je zu jemandem gesagt: "Ich tue anderen gerne einen Gefallen, aber es fällt mir schwer, selbst um einen Gefallen zu bitten?" Ist es nicht widersinnig, daß die meisten Menschen in einer Welt, in der viele verzweifelt sind und glauben, daß ihre Wünsche nie im Leben erfüllt werden, nicht darum bitten oder danach fragen?

Es gibt vier wichtige Gründe, aus denen wir nach dem fragen sollten, was wir uns wünschen:

1. **Um etwas bitten oder nach etwas fragen ist ein Zeichen für Selbstachtung und Selbstwertgefühl.** Nach etwas fragen oder um etwas bitten bestätigt in unserer eigenen und in der Auffassung anderer, daß wir Rechte und Privilegien haben. Es bedeutet, daß Sie das Gefühl haben, etwas verdient zu haben, und es schafft eine Erwartungshaltung.

2. **Um etwas bitten oder nach etwas fragen ist wichtig für Ihre Gesundheit.** Wenn Sie nicht fragen, kann es sein, Sie werden übersehen, ignoriert oder ausgelassen. Das führt zu Frustration, Knoten im Bauch und so weiter. Wann immer Sie sich nicht ausdrücken, schlägt sich das auf Ihren Magen nieder.

3. Um etwas bitten oder nach etwas fragen ist der erste und logische Schritt, den Sie tun müssen, um Gott, Ihren Chef, Ihre Familie und Ihre Freunde wissen zu lassen, was Sie wollen. Die meisten der zuvor Genannten können nicht Gedanken lesen!

4. Um etwas bitten oder nach etwas fragen vermittelt anderen das Vergnügen, Ihnen zu helfen. In der Tat ist es *egoistisch, nicht zu fragen.* Wenn Sie anderen gerne helfen, dann sollten Sie ihnen die gleiche Chance bieten. Nehmen Sie ihnen nicht die Freude, Ihnen helfen zu können!

Dies gilt für alle Arten des Bittens und Fragens. Meistens sind die Menschen mehr als willens, zu helfen, wenn sie sehen, daß Sie Hilfe brauchen oder glauben, daß Sie schon alles in Ihrer Kraft Liegende getan haben und etwas zusätzliche Unterstützung gebrauchen können. Viele Menschen würden *verzweifelt* gerne helfen, fürchten aber, sich aufzudrängen.

Frauen berichten häufig, daß Fremde, wenn ihre Schwangerschaft deutlich sichtbar wird, wundervoll hilfsbereit und weit mehr bemüht sind, als es die "Pflicht" verlangt. Die Menschen wollen wirklich helfen ... Sie sind sich zumindest einigermaßen sicher, daß ihr Bemühen, einer schwangeren Frau in einen Bus oder ein Auto zu helfen, nicht zurückgewiesen wird. Im allgemeinen sind sie sich weniger sicher, daß ihre Aufmerksamkeit von uns "Nichtschwangeren" genauso dankbar aufgenommen wird.

Vielleicht kennen Sie Menschen, die im Geschäfts- und Privatleben anscheinend ständig auf den Füßen landen. Ob sie nun ein Auto kaufen, Arbeit suchen, Geschäfte abschließen oder heiraten, sie schaffen es immer, genau das zu erreichen, wonach sie streben. Das ist so, weil sie nach dem fragen, was sie wollen.

Kürzlich besuchten mich Freunde. Wir wollten alle zum Abendessen Meeresfrüchte in einem bestimmten Restaurant essen. Das Restaurant war natürlich voll besetzt, ... bis mein Freund Peter zu fragen begann.

Was wir von seiner Konversation zu hören bekamen, klang ungefähr so:

"Sie sind also wirklich voll?"

"Das heißt wirklich und absolut voll?"

"Ach so. Wir kommen von auswärts und hofften, heute abend in Ihrem Restaurant essen zu können. Wir sind nur zu sechst."

"Tatsächlich so voll?"

"Wenn Sie noch ein bißchen Platz hätten, wohin würden Sie uns denn setzen?"

"Ja, aber wenn?"

"So voll!"

"Wo liegt denn das Problem? Haben Sie zuwenig Stühle oder zuwenig Tische?"

"Könnten Sie vielleicht nachsehen?"

"Dankeschön."

"Sie haben also zuwenig Stühle. Zufällig haben wir hier sechs Stühle bei uns. Wäre es möglich, unsere eigenen Stühle mitzubringen?"

"Sie müssen den Manager fragen? Gewiß, wir warten solange."

"Zwanzig Uhr dreißig ist wunderbar. Danke vielmals. Also, bis zwanzig Uhr dreißig."

Peter aß an diesem Abend im Restaurant seiner Wahl, weil er bereit war, Fragen zu stellen. Er war immer freundlich und höflich. Er fragte einfach nach dem, was er wollte. (Wir anderen aßen im Restaurant unserer Wahl, weil wir Peter *gebeten* hatten, für uns anzurufen.)

Es geht hier natürlich nicht darum, einen Platz in Ihrem Lieblingsrestaurant zu bekommen. Es geht darum zu erkennen, daß es in Ordnung ist, jederzeit nach dem zu fragen, was Sie sich wünschen. Bitten Sie darum, von jemandem im Auto mitgenommen zu werden, wenn Ihr Auto in der Werkstatt ist. Bitten Sie den Mitreisenden im Flugzeug darum, nicht zu rauchen, während Sie frühstücken. (Seien Sie aber vorsichtig, wenn Sie ihn bitten, doch nach "draußen" zu gehen, wenn er sich eine anzünden will!) Fragen Sie, wen immer Sie wollen, ob Sie für ihn arbeiten können, wenn Sie das gerne möchten.

Ich setze mich nicht dafür ein, daß wir zu Parasiten und Freifahrern werden. Ich sage nur, daß Fragen uns Information verschafft und anderen die Möglichkeit gibt, uns zu helfen, wenn ihnen das paßt. Es ist überraschend, wie oft ihnen das paßt! Eine Umfrage unter erfolgreichen Leuten könnte offenbaren, daß diese Menschen besser nach etwas fragen können, wenn sie etwas brauchen.

Manchmal lautet die Antwort nein.

Wenn nun Ihr Gegenüber in fünfzig Prozent der Fälle, in denen Sie fragen, "Nein!" antworten würde? Bedeutete das, daß Sie ein ekliger Mensch sind? Bedeutete das, daß Sie es nicht verdient haben? Nein! Es würde bedeuten, daß Ihre Ideen in fünfzig Prozent der Fälle nicht mit den Plänen anderer übereinstimmten. Und es bedeutete weiterhin, daß Sie in fünfzig Prozent der Fälle Hilfe bekamen, die Ihnen sonst nicht zuteil geworden wäre.

Wenn Sie nach etwas fragen oder um etwas bitten, helfen Sie dabei auch der persönlichen Entwicklung des Menschen, an den Sie Ihre Bitte richten! Wie? Wenn er Ihnen helfen will, zieht er einen bestimmten Nutzen aus dieser Tatsache. Wenn nicht, hat er einen anderen Nutzen davon, denn ohne Schuldgefühle nein sagen können gehört zu einem tüchtigen Menschen. Sie können jetzt vielen Menschen die Chance geben, das zu üben!

Außerdem nehmen Sie mehr Verantwortung für Ihr Leben auf sich, wenn Sie sich zu den "Fragern" gesellen. Die Gefahr, daß Sie zu denen gehören, die still vor sich hin leiden, immer mitmarschieren und alles auf sich nehmen, weil es Märtyrer so machen, ist geringer.

Manche Leute gehören ja nun einmal lieber zu den Märtyrern. Sie haben ihr Leiden zu einer Kunstform hochstilisiert, und wehe dem, der versucht, ihnen das Leben zu erleichtern. Wir sollten ihr Anrecht darauf, ihr Leben so zu leben, wie es ihnen gefällt, respektieren.

Des Pudels Kern

Um das zu bekommen, was man will, muß man in erster Linie davon überzeugt sein, daß man es verdient hat. Wenn Sie dieses Wertgefühl sowohl unbewußt als auch bewußt besitzen, gehen mehr Ihrer Bedürfnisse und Wünsche in Erfüllung. Eine der besten Arten, Ihr Selbstwertgefühl zu entwickeln, besteht darin, zu *fragen*.

Entschuldigungen *oder* Erfolge

Im Grunde genommen kommt es immer nur darauf an, ob Sie mit dem, was Sie tun, glücklich sind.

Nehmen wir zum Beispiel einen Mann, der seine Arbeit haßt, weniger verdient, als er möchte, sich keine Ferien und Ausflüge leisten kann, einsam und deprimiert ist, der nie etwas von dem gelernt hat, was er gerne lernen möchte, und der bei seinem kurzen Aufenthalt auf diesem Planeten nie etwas von dem getan hat, was er gerne täte.

Aber er hat seine schwerwiegenden "Gründe", weshalb er gerade so ist, wie er ist! Er hat eine Liste davon im Kopf. Er schiebt die Schuld auf die Regierung, seine Frau, seine Kinder, sein Sternzeichen, seinen Chef, die Wirtschaftslage, seinen schwachen Rücken, sein Pech, seinen Mangel an Ausbildung oder auf seinen Schwager, und so weiter ...

Er kam irgendwie zu dem Schluß, daß es in Ordnung sei, sich elend zu fühlen, wenn man nur genügend Entschuldigungen dafür habe. *Nein! Nein! Nein!* Es ist nicht in Ordnung; wir haben im Leben entweder Entschuldigungen oder Erfolge *(reasons or results)*. Manche Menschen kommen auf die Idee, daß beide gleich viel wert seien. Dem ist nicht so.

Ihre Liste mag so lang sein wie Ihr Arm. Ihre Liste mag so lang sein wie die ganze Straße. Sie zählt doch nichts. Nichts! Wenn Sie nicht das Leben führen, das Sie gerne führten, und die Dinge tun, die Sie gerne täten, sind Entschuldigungen kein Ersatz.

Wenn wir uns so umschauen, dann finden wir, daß alle möglichen Leute wider alle Erwartungen Erfolg haben. Wir sehen Menschen, die ohne jegliche Ausbildung etwas leisten und glücklich sind, Menschen, die auch im gegenwärtigen finanziellen Klima zu Geld kommen, Menschen, die trotz ihrer acht Kinder ein aufregendes Leben führen, und Menschen, die ihre Ehe aus der Asche heben und sich wieder ineinander verlieben.

GRÜNDE, WARUM ES MIR SCHLECHT GEHT
ICH KLAGE AN:
- MEINE AUSBILDUNG
- DIE REGIERUNG
- MEINE GESUNDHEIT
- MEINE NACHBARN (DIE MICH HASSEN)
- MEINE FRAU (DIE MICH WAHNSINNIG MACHT)
- DIE KINDER
- DIE HYPOTHEK
- MEINE ELTERN
- MEINEN BERUF
- ALLE (KEINER VERSTEHT MICH)

ICH KLAGE SIE AN!

Diese Menschen zeigen uns, daß es allein auf die Ergebnisse ankommt. Diese Menschen haben dieselbe Entdeckung gemacht wie der Mann, der sagte: "Früher schob ich die Schuld immer auf das Wetter; dann fand ich heraus, daß es für die reichen Leute genauso regnet!"

Die Freude, die wir am Leben haben, ist umgekehrt proportional zu dem Grad, zu dem wir die Schuld auf unsere Lebensumstände schieben.

Des Pudels Kern

Sie haben nur dieses eine Leben. Wenn Sie sich mit einer Liste von "Warum ich nicht dieses oder jenes getan habe ..." begraben lassen, die so lang ist wie Ihre Straße, bedeutet das doch nichts anderes, als *daß Sie es nicht getan haben.*

Kapitel 5

Von der Natur lernen

Naturgesetze

Von der Natur lernen

Liebe

Von Kindern lernen

Beweglich bleiben

Was wir nicht nutzen, geht uns verloren

Entspannen und loslassen

Veränderung

Wieviel verstehen wir wirklich?

Sie selbst verleihen dem Leben Wert

Musik ist der Raum zwischen den Noten ...

Naturgesetze

Es gibt im Universum Gesetze und Prinzipien, die unser Leben in jeder Minute betreffen. Wir sind uns zum Beispiel im allgemeinen der Schwerkraft bewußt. Wenn Ihnen die Tüte mit den Kartoffeln entgleitet und auf Ihrer großen Zehe landet, werden Sie gleich an dieses Gesetz erinnert. Wir beobachten auch, was die Schwerkraft mit alten Häusern und alten Menschen anstellt; sie fallen in sich zusammen, und manchmal fallen sie auch um. Wir akzeptieren auch, daß der Umlauf der Gestirne durch Gesetze geregelt ist, ebenso wie der Gezeitenwechsel oder der Wechsel der Jahreszeiten.

"Ich glaube es erst, wenn ich es selbst sehe!"

Wenn wir unsere Finger in eine Steckdose stecken, erhalten wir einen besonderen Hinweis auf das Vorhandensein von Elektrizität. Wir sehen sie vielleicht nicht, doch gibt es intensive Hinweise auf ihre Existenz. Ähnlich ist es mit dem Magnetismus, dessen Vorhandensein wir anerkennen, ohne ihn zu sehen. Unsichtbare Prinzipien gestalten unser Leben mit.

Das bemerkenswerte daran ist, daß viele Menschen wohl glauben, das ganze Universum werde durch Gesetze geregelt; wenn es aber um ihr eigenes Leben und um ihren eigenen Erfolg oder Mißerfolg geht, sprechen sie von Schicksal, Glück und "glücklichen Zufällen". Nun, Sie sind ein Teil des Universums, und Ihr Leben untersteht den Gesetzen ebenso unbedingt wie der Mond, die Sterne und das Unkraut in Ihrem Garten. Und Sie sind die Ursache für das, was in Ihrem Leben geschieht. Sie verursachen es durch Ihre eigenen Gedanken.

Was ist ein Gedanke?

Physiker sagen uns, daß die Welt nicht wirklich so beschaffen sei, wie sie aussieht. Wenn wir die materielle Umwelt in ihre kleinsten "Bausteine" aufspalten, gelangen wir zu den Atomen und subatomaren Partikeln. Diese Teile der Materie schwingen enorm schnell und sind tatsächlich nichts anderes als Energiepakete. Die materielle Welt besteht aus Energie. Es gibt nichts wirklich Festes, und die Schwingungszahl dieser Energiepakete bestimmt, ob "ein fester Stoff" ein Ziegel oder ein Klecks Zahnpasta ist. Einfach ausgedrückt, ist die feste materielle Welt, die Sie zu kennen glauben, in Wirklichkeit eine Masse von Energien mit unterschiedlicher Schwingungszahl.

Raten Sie nun einmal, was Ihr Gehirn hervorbringt, wenn Sie einen Gedanken denken. Energie! Schwingungen. Die Wissenschaft sagt uns auch, daß es für jede Aktion eine gleichwertige Gegenreaktion gibt. Sie schaffen also zu jedem Gedanken mit der ihm eigenen Schwingung eine Reaktion oder Konsequenz. Da Sie am Tag ungefähr fünfzigtausend Gedanken hegen, senden Sie eine Menge Schwingungen aus und schaffen viele Konsequenzen. Was ich hier herausstellen will, ist, daß Gedanken echte Kräfte sind. Wir haben es hier mit Energie zu tun.

Platon sagt über diese Kräfte: "Die Wirklichkeit wird durch den Geist geschaffen. Wenn wir unsere geistige Einstellung ändern, wird es uns möglich, auch die Wirklichkeit zu verändern." Und der Römer Marcus Aurelius schrieb: "Das Leben eines Menschen ist, was seine Gedanken daraus machen." In der Bibel steht: "Der Mensch ist, was er den ganzen Tag über denkt." Im Laufe der Geschichte äußerten sich viele mit besonderer Einsicht begabte Menschen über die Macht des Geistes.

(Übrigens finden Sie viele Zitate aus den Schriften oder Reden besonders klarsichtiger Menschen in diesem Buch. Wir tun gut daran, von der Weisheit anderer Menschen zu lernen. Wir haben die Wahl, auf die Gewinner oder die Verlierer zu hören. Ich empfehle das erstere und sehe die Philosophie und das Weltverständnis erfolgreicher Leute als Hauptzutat zu deren Erfolg.)

Beim Umgang mit den universellen Prinzipien sieht es zugegebenermaßen manchmal so aus, als gäbe es Ausnahmen von der Regel. Trotzdem meine ich, daß auf diesem komplexen, sich drehenden Planeten eine Ordnung herrscht und daß unser Aufenthalt hier glatter und glücklicher verläuft, wenn wir uns der hier herrschenden Gesetze bewußt sind.

Es wird immer Menschen geben, die sagen: "Nichts geht, nichts zählt, nichts macht einen Unterschied, und das Leben stinkt!" Schauen wir uns die Qualität ihres Lebens an, bevor wir uns ihrer Theorie verschreiben! Wenn ich zum Thema "persönliche Entwicklung" spreche, stoße ich manchmal auf die Haltung: "Ich weiß, daß dieses Zeugs nichts nützt, weil ich es nie ausprobiert habe." Nutzen Sie die Gedanken aus diesem Buch und entscheiden Sie selbst.

Viele der in diesem Buch dargestellten Auffassungen sind für Sie wohl nicht neu. Und ich hoffe, daß Sie die Gedanken, die etwas mehr Anforderungen an Ihr Glaubenssystem stellen, mit offenem Sinn angehen und sich der Möglichkeit öffnen, daß es im Universum Dinge gibt, die Sie noch nicht ganz verstanden haben. Als Kind hielten Sie die Erde wahrscheinlich einmal für flach. Als Sie mehr darüber in Erfahrung brachten, waren Sie bereit, Ihre Vorstellung zu ändern. Ich hoffe, daß Sie die Gedanken dieses Buches in diesem Sinne aufnehmen. Glauben Sie nicht etwas, nur weil es hier geschrieben steht. Überprüfen Sie die Dinge selbst.

Von der Natur lernen

"Du bist ein Teil des Universums, nicht weniger als die Sterne und die Bäume, und du hast ein Recht darauf, hier zu sein. Und ob dir das klar ist oder nicht, das Universum entfaltet sich zweifellos nach Plan ..."
Desiderata

Wir sind ein Teil des Universums, und unser Leben wird von denselben Gesetzen geregelt, die den Rest des Kosmos beherrschen. Wie alles in der Natur brauchen wir ein Gleichgewicht. Wir brauchen Zeit zum Wachsen und Zeit zum Heilen. Unser Leben verläuft in Zyklen, denn das ist das Gesetz des Universums. Wie alles Lebendige brauchen wir Zeit zum Ausruhen und Erholen.

Sich Zeit nehmen

Die Natur läßt sich Zeit. Große Eichen werden nicht über Nacht groß. Außerdem verlieren sie beim Wachstumsprozeß auch ab und zu Blätter, Äste, Rinde. Diamanten entstehen auch nicht in einer Woche. Alles Wertvolle, Schöne, Großartige im Universum brauchte Zeit um so zu werden.

So ist es auch mit Ihrem Wachstum und Ihrer Entwicklung. Wir wollen erkennen, wie die Dinge hier organisiert sind, und dann liebevoller mit uns umgehen, wenn wir unseren eigenen Fortschritt messen. Es braucht Zeit, um Selbstvertrauen, einen gesunden Körper oder eine positive Einstellung aufzubauen. Es braucht Zeit, um ein gutgehendes Geschäft oder Ihre finanzielle Unabhängigkeit aufzubauen. Im wirklichen Leben gibt es sehr wenige sofortige Erfolge über Nacht.

Zyklen

So sicher, wie sich die Erde um die Sonne dreht und der Frühling auf den Winter folgt, bewegt sich unser Leben in Zyklen. Es wird immer gute und schlechte Zeiten geben, so sicher wie die Jahreszeiten aufeinander folgen. Eine der großen Herausforderungen im Leben besteht darin, mit dem Winter fertigzuwerden, während man auf bessere Zeiten wartet.

Die Dinge bessern sich. Das ist immer so. Das Problem besteht darin, daß viele Menschen aufgeben und zu früh nach Hause gehen. Doch die Gezeiten wechseln ständig.

Ruhe

Die Natur muß von Zeit zu Zeit ruhen. Der Boden braucht Ruhe, Bären und Schlangen halten einen Winterschlaf; sogar die Fische schlafen mit offenen Augen. Davon können wir lernen. Wir brauchen Zeit zum Ruhen, zum Rückblick, zum Nachdenken, zum Sein.

Wenn Sie beschließen, unersetzlich zu sein und immer im Joch bleiben zu müssen, können Sie Ihr Leben schon entsprechend gestalten. Ihr Glaube, daß Sie nie ruhen können, bestimmt so lange Ihre Realität, bis Sie es sich endlich anders überlegen.

Wenn wir das Ausruhen in unser Leben einbeziehen, werden wir wie die Erde in den Zeiten unserer Aktivität produktiver. Nachdem ich das gesagt habe, muß ich hinzufügen, daß die Menschen meiner Meinung nach für Unternehmungen und zum Aktivsein geschaffen sind. Rohn sagt: "Betrachte das Ruhen als eine Notwendigkeit, nicht als Ziel."

Liebe

Ein paar Gedanken über die Liebe ... (Wie wird man der Liebe in ein paar Absätzen gerecht?)

Haben Sie sich jemals gefragt, warum wir Babys so sehr lieben? Wir lieben sie, weil sie so offen und verletzbar sind. Wenn sie uns die Ärmchen entgegenstrecken und uns in die Augen schauen, sagen sie uns: "Liebe mich. Ich brauche dich, und ich schaffe es nicht allein."

Im Laufe unserer Entwicklung gelangen viele von uns zu der fälschlichen Ansicht, daß wir uns selbst genügen. Wir geben vor, es sei alles in Ordnung, und sagen: "Ich bin in Ordnung, mir geht es gut, ich bin zäh, ich schaffe es schon", während wir innerlich verängstigt und einsam sind und uns nach jemandem sehnen, der uns zuhört.

Der hier vorherrschende Mythos besagt: "Gib lieber nicht zu, daß du verletzlich und einsam bist, sonst wirkst du wie ein Schwächling." Er besagt weiterhin: "Gib nicht zu, wie du dich wirklich fühlst, sonst wirst du nur ausgenützt." Dieser Mythos kehrt die Dinge genau um. Andere wissen, wann wir offen und ehrlich sind, und lieben uns dafür. Wir geraten nur dann in Schwierigkeiten, wenn wir vortäuschen, daß es uns gut geht.

Es entbehrt nicht einer gewissen Ironie, daß diejenigen unter uns, die am verzweifeltsten Zuneigung brauchen, am meisten vortäuschen, sie nicht zu benötigen. Wenn wir innerlich wirklich weich und einsam sind, müssen wir uns anscheinend besondere Mühe geben, der Welt vorzutäuschen, daß alles in Ordnung ist.

Liebe ist nicht schmalzig. Liebe ist Stärke und Engagement. Jemanden lieben kann bedeuten, ihm Dinge zu sagen, die er nicht hören will.

Liebe ist Mut, und es braucht mehr Mut, zu jemandem "Ich habe Angst" oder "Ich liebe dich" zu sagen, als jemandem ins Gesicht zu schlagen.

Lieben heißt uns und andere respektieren. Heißt andere dort lassen, wo sie sich gerade befinden, und sie trotzdem lieben. Sobald wir sagen, ich werde dich lieben, wenn du dies oder jenes tust, ist es nicht Liebe, sondern Manipulation.

Lieben heißt das Gute in den Menschen sehen, und wenn uns das gelingt, und zwar ständig gelingt, ist unser Glück garantiert. Da unser Leben eine Reflexion unseres Selbst ist, wachsen wir umso mehr, je mehr Liebe und Schönheit wir wahrnehmen, und deshalb *ist Liebe für uns alle das ein und alles.*

Von Kindern lernen

Wir können so viel von Kindern lernen. Und die meisten unter uns haben das Glück, zwanzig oder dreißig Jahre nach unserer eigenen Kindheit von neuem Bekanntschaft mit dem Zauber der Kindheit zu schließen. Wenn unsere Kinder dann wieder Kinder haben, bekommen wir ein paar Jahre später noch einmal eine Lektion.

Es scheint, als sähen viele Eltern den Lernprozeß als Einbahnstraße. Ich glaube, sie täten gut daran, sich mehr Zeit zu nehmen, um von ihren Kindern zu lernen, und sie weniger oft zu belehren.

Kinder wissen viel besser, wie man Spaß haben kann, als die meisten Erwachsenen. Kinder können lachen. Es braucht nicht viel, um sie zum Lachen zu bringen. Manchmal braucht es dazu gar nichts. Sie lachen, weil Lachen Spaß macht. Haben Sie heute schon genügend gelacht?

Kinder sind wunderbar spontan. Sie analysieren nicht und überlegen sich nicht alles. Sie sind einfach, gehen ganz im "Sein" auf. Wenn wir Erwachsenen begegnen, die so spontan geblieben sind, schätzen wir diese sehr. Wir wollen weniger denken und statt dessen empfänglicher sein.

Kinder sind ewig fasziniert. Sie sind neugierig. Ein Stein oder ein Käfer, eine Pfütze oder eine Maus sind eine Quelle des Wunders für ein Kind. Alles ist neu und aufregend

und muß aufgenommen werden. Erwachsene schalten ab. Sie wissen wirklich nichts mehr über Steine und Käfer, Pfützen und Mäuse. Es gibt für uns immer noch eine Menge über alle diese Dinge zu wissen.

Wenn wir aber erst einmal erwachsen sind, haben viele von uns vergessen, wie zauberhaft dieser Planet ist.

Kinder sind auch sehr aufgeschlossen. Sie haben keine Vorurteile. Ob reich oder arm, schwarz oder weiß – du bist anerkannt. Ein Kind regt sich nicht über deine Religion oder politische Einstellung auf. Kinder kümmern sich nicht einmal darum, ob du dich wäschst oder nicht. Sie nehmen dich und die Umstände an, bis man es ihnen abgewöhnt. Wie oft hört man kleine Kinder über das Wetter klagen? Gar nicht. Sie wissen intuitiv, daß man die Dinge so nehmen muß, wie sie eben kommen, wenn man geistig gesund bleiben will.

Sind wir nicht alle von der Ehrlichkeit der Kinder überrascht und entzückt? "Warum siehst du so alt aus?" – "Stirbst du bald?" – "Warum haust du auf den Tisch?" – "Peters Vater lächelt. Warum lächelst du nicht?"

Kinder sind unverwüstlich und unwahrscheinlich entschlossen. Wenn sie etwas wollen, geben sie nicht auf. So bekommen wir denn zu hören: "Kann ich ein Eis haben? Hansi kriegt ein Eis." Ihre Beharrlichkeit ist wirklich bewunderswert, und man muß sie ertragen können. Wenn Versicherungsagenten in einem Kindergarten trainierten, gäben vielleicht nicht achtundneunzig Prozent in den ersten zwölf Monaten auf! Kinder bleiben am Ball. Als Sie laufen lernten, übten und übten Sie immerfort. Sie fielen um und standen auf. Sie fielen aufs Gesicht und standen wieder auf. Schließlich lernten Sie das Laufen! Haben Sie diese Art von Entschlossenheit noch?

Wie schon gesagt, haben Kinder eine ungeheure Phantasie. Sie ermöglicht es ihnen zu lernen, sich zu erinnern und sich so schnell zu entwickeln.

Des Pudels Kern

Verbringen Sie Zeit mit Kindern. Lernen Sie mehr über das Lachen, Spontansein, über Neugier, Empfänglichkeit, Unverwüstlichkeit, über Vertrauen, Entschlossenheit und Ihre Phantasie. Sie sind hier, um uns zu lehren!

Beweglich bleiben

Das Prinzip "Beweglich bleiben" ist verwandt mit dem Gesetz "Was wir nicht nutzen, geht uns verloren". Die Natur belehrt uns über das Stagnieren. Ein Fluß, der nicht mehr fließt, fault. Dasselbe geschieht mit Menschen, die sich geistig oder körperlich nicht mehr bewegen.

Diejenigen unter Ihnen, die Kontaktsportarten betreiben, wissen, daß der Spieler, der am meisten verletzt wird, im allgemeinen derjenige ist, der stillsteht. Geschäftsleute wissen dasselbe: Stillstand ist der Anfang vom Ende. Natürlich brauchen Sie immer wieder einmal eine Verschnaufpause, im wesentlichen lautet die Botschaft jedoch: "Bleibe beweglich, wachse und lerne."

Schiffe, die zur See fahren, überdauern länger als Schiffe, die im Hafen liegen. Dasselbe gilt auch für Flugzeuge. Man kann einem Flugzeug keine längere Lebensdauer verschaffen, indem man es auf dem Boden hält; das geschieht vielmehr dadurch, daß man es einsetzt. Auch wir leben ein langes, gesundes Leben, wenn wir im Einsatz bleiben.

Statistiken zur Langlebigkeit zeigen auf, daß die Menschen nach ihrer Pensionierung im Durchschnitt nicht lange leben. Die Moral lautet also: "Treten Sie nicht in den

Ruhestand!" Wenn jemand sagt: "Ich bin vierundneunzig Jahre alt und habe mein ganzes Leben lang gearbeitet," muß uns klar sein, daß er es aus diesem Grunde bis ins Alter von vierundneunzig geschafft hat. Er blieb dabei.

George Bernard Shaw erhielt den Nobelpreis mit fast siebzig, Benjamin Franklin schuf einige seiner besten Schriften mit vierundachtzig, und Pablo Picasso arbeitete seine ganzen achtziger Jahre hindurch mit Pinsel und Leinwand. Lautet die Frage in Wirklichkeit nicht: Wie alt *fühlen* wir uns?

Ich kenne eine Frau in Adelaide, Südaustralien, die in ihrem ganzen Leben noch nie Sport getrieben hatte. Im Alter von sechsundsiebzig gründete sie einen Federballverein für Menschen über sechzig! Sie ist inzwischen zweiundachtzig und spielt immer noch zwei Mal die Woche.

Das Prinzip des Beweglichbleibens hat den Vorteil, daß wir, während wir in Bewegung sind, keine Zeit zum Sorgen haben. Daher vermeiden wir die gefürchtete "Paralyse durch Analyse".

Des Pudels Kern

Tätigsein bringt Glück und Erfüllung. Das Prinzip des Beweglichbleibens fordert uns ständig dazu auf, hinter dem Ofen hervorzukommen und mitzumachen.

Was wir nicht nutzen, geht uns verloren

Wir verlieren, was wir nicht benutzen. Dieses Prinzip zeigt sich besonders an unserem Körper. Wenn Sie beschließen, drei Jahre in einem Rollstuhl zu verbringen, weil Sie nun einmal gerne sitzen, dann werden Sie am Ende der drei Jahre nicht mehr fähig sein zu gehen. Wenn Sie Ihre Beine nicht mehr gebrauchen, funktionieren diese bald nicht mehr.

Dasselbe gilt für jede Fertigkeit. Wenn Sie zwölf Monate lang kein Klavier mehr spielen, haben Sie Ihre Fingerfertigkeit verloren. Wenn Sie Ihre kreative Vorstellungskraft nicht mehr einsetzen, löst sich diese in Luft auf. Wir sind so beschaffen, daß wir am Ball bleiben sollten, ja müssen. Üben Sie sich in der Kunst des Lebens.

Außerdem werden Sie, wenn Sie sich im Wachsen üben, auch mutiger. Niemand wird dadurch mutig, daß er sich in sein Schlafzimmer einschließt und seinen Mut aufspart! Wir werden stark, wenn wir uns regelmäßig selbst testen.

Wir müssen uns weiterhin in Verantwortlichkeit üben. Unser Gewissen schaltet wie alles andere ab. Wenn wir erst einmal sagen: "Es hat ja doch alles keinen Wert", geraten wir in Schwierigkeiten. Gefängniszellen und psychiatrische Anstalten sind voller Menschen, denen alles egal ist, Menschen, die es fertigbrachten, ihre Gefühle so vollständig abzuschalten, daß nichts mehr übrigblieb. "Es" hat doch einen "Wert".

Wir müssen unseren Geist benutzen, um in Form zu bleiben. Es gibt keinen Grund dafür, weshalb wir im Laufe der Jahre unsere Denkfähigkeit verlieren sollten. Wenn wir unser geistiges Potential voll ausschöpfen, bleiben uns unsere geistigen Fähigkeiten erhalten.

Dasselbe Prinzip gilt auch für Geld. Geld ist dazu da, verwendet zu werden. Es muß umlaufen. Großverdiener investieren ihr Kapital immer wieder, nutzen, was sie haben, und gehen Risiken ein. Es ist noch nie jemand dadurch Millionär geworden, daß er unter dem Bett in einer Papiertüte Pfennige sammelte!

Des Pudels Kern

Das Universum fordert uns dazu auf, dabeizubleiben. Das Gesetz "Was wir nicht nutzen, geht uns verloren" ist wunderbar! Es motiviert uns zu üben, und wenn wir üben, werden wir besser. Was wir nicht nutzen, geht uns verloren. Wenn wir nicht das Beste aus unserem Besitz und unseren Fähigkeiten machen, bleiben sie uns nicht erhalten.

Entspannen und loslassen

Haben Sie schon bemerkt, was geschieht, wenn Sie sich *ungeheure Mühe* geben, sich an etwas zu erinnern, den Tennisball richtig zu treffen oder ein Problem zu lösen? Die gewünschten Ergebnisse bleiben unweigerlich aus.

Die meisten Menschen stellen fest, daß sie bei der Suche nach Problemlösungen die besten Erfolge haben, wenn sie sich mit etwas beschäftigen, das sie ganz von selbst entspannt. Deshalb haben sie ihre Geistesblitze unter der Dusche, in der Badewanne, im Bett, auf der Toilette: an Orten, wo man sich leicht entspannt.

Vom wissenschaftlichen Standpunkt aus gesehen verlangsamen sich unsere Gehirnwellen, wenn wir uns entspannen, und gehen in den Alpha-Rhythmus über, in dem wir weit fähiger und kreativer sind und Erfolge sich leicht einstellen. Wenn Sie sich unter eine warme Dusche stellen, entspannen sie sich ganz von selbst. Dasselbe geschieht auch im Bett, und Sie stellen fest, daß Ihnen die besten Einfälle im Bett kommen! Man kann im Schlafzimmer sehr kreativ sein! Auf der Toilette sind Sie für neue Ideen offen, weil Sie sich dort entspannen, um es hinter sich zu bringen!

Natürlich ist körperliche Entspannung für Spitzenleistungen genauso wichtig. Wenn wir uns körperlich entspannen, gleicht sich unser gesamter Stoffwechsel aus, unser Blutdruck fällt ab, der Atem wird langsam, tief und leicht, und die Organe in unserem System arbeiten harmonisch.

Auf breiterer Ebene zeigt sich dasselbe Bild. Wenn wir den Lauf der Dinge akzeptieren, erzielen wir in unserem Leben die besten Ergebnisse. Das bedeutet, daß wir den schmalen und schwer bestimmbaren Mittelweg zwischen Anstrengung und Entspannung, zwischen Festhalten und Loslassen finden müssen. Das zu schaffen ist nicht einfach!

Wir können uns wieder von der Natur anleiten lassen. Die Vögel und die Tiere arbeiten, aber sie arbeiten nicht Tag und Nacht. Sie wissen, wann sie genug haben. Versuchen Sie nur einmal, einen Sperling zu ein paar Überstunden zu überreden! Spatzen wissen, wann es Zeit für eine Ruhepause ist. Bären, Frösche, Rentiere und Beutelratten ebenfalls. Tiere wissen um Dinge, die wir nur halb verstehen.

Auch der Boden braucht immer wieder eine Ruhepause. Und auch damit haben wir Probleme! Wir pflanzen auf demselben Stück Land dreiundzwanzig Jahre lang ununterbrochen Bohnen an, stopfen die Erde voller Chemikalien, damit sie weiter hervorsprießen, und wundern uns dann, wenn die Bohnen schlechter schmecken als der Dünger. Alles braucht eine Ruhepause. Alles braucht Zeit, um sich zu erholen, zu wachsen und zu schwinden. Benjamin Hoff erklärt in seinem entzückenden Buch *The Tao of Pooh,* wie Pooh, der allzeit beliebte "Bär von wenig Verstand" intuitiv die östliche Philosophie des "Tao" anwendet. Er meint, daß wir von Poohs müheloser, aufnahmebereiter, unkomplizierter Philosophie viel lernen können - "Eyeore sorgt sich, Piglet zögert und Eule schwingt große Reden, ... doch Pooh *ist* einfach."

Hoff schreibt:

"Wenn wir lernen, unserer inneren Natur und den Naturgesetzen zu folgen, erreichen wir die Stufe des Wu Wei. Dann arbeiten wir im Einklang mit der natürlichen Ordnung der Dinge und leben nach dem Prinzip des geringsten Widerstandes. Da die natürliche Welt diesem Prinzip untersteht, macht sie keine Fehler. Nur der Mensch, dieses hirnlastige Geschöpf, das sich in alles einmischt, sich zu sehr anstrengt und sich dadurch vom hilfreichen Netzwerk der Natur abspaltet, macht Fehler – oder bildet sich ein, Fehler zu machen."

Wir lieben Pooh, weil er sich nicht zu viel Mühe gibt. Er lebt in der Gegenwart. Er ist einfach nur.

Distanz halten

Unser Glück und unser freier Selbstausdruck sind gesicherter, wenn wir uns nicht an die Endresultate klammern; arbeiten Sie auf Ihre Ziele zu, aber lassen Sie sich nicht von ihnen fesseln.

Wir lieben die Menschen, die am wenigsten darauf bedacht sind, einen Eindruck zu machen. Sie haben alles verzweifelte Sehnen nach Zuneigung losgelassen und kommen deshalb in den Genuß von Zuneigung.

Großverdiener verdienen erst dann wirklich viel Geld, wenn sie nicht mehr um des Geldes willen arbeiten! Mit anderen Worten: Sie finden etwas, das sie gerne tun, und der

Wohlstand fließt ihnen automatisch zu. Sie haben Geld, weil sie sich nicht daran klammern. Ein Außenstehender mag über einen finanziell erfolgreichen Menschen sagen: "Dieser gierige Typ. Er ist zehn Millionen Dollar wert und arbeitet immer noch!"

Der Mann arbeitet, weil er die Aufgabe mehr liebt als das Geld. Deshalb ist er auch reich!

In gewissem Sinne müssen wir, wenn wir etwas haben wollen, auch ohne es auskommen können. Wenn wir uns nicht mehr daran klammern, sind wir in einer besseren, stärkeren Position. Erfolgreiche Geschäftsleute wissen, daß man einen erfolgreichen Abschluß nur dann erreichen kann, wenn man den Handel "losläßt" - sich emotional davon frei macht.

Wenn wir unseren Beitrag geleistet haben, müssen wir den Ergebnissen die Freiheit lassen, sich in ihrem eigenen Tempo zu entfalten. Wenn Sie Ihre Tomaten pflanzen und dann die Samen alle zwanzig Minuten ausgraben, um nachzusehen, ob sie auch keimen, hilft das nicht viel! Sie müssen sich eine Zeitlang entspannen. Erlauben Sie der Natur, ihren Lauf zu nehmen.

Des Pudels Kern

Mit dem Strom schwimmen, sich Zeit nehmen ist so wichtig wie das Handeln selbst. Wie Claude Debussy sagt: "Musik ist der Raum zwischen den Noten."

Veränderung

"Nur die Veränderung hat Bestand."
Heraklit

Der alte Grieche erinnert uns daran, daß das Gesetz des Universums Veränderung heißt. Die Jahreszeiten kommen und gehen. Nichts bleibt so, wie es ist.

Das ist ein grundlegendes Gesetz, und doch scheinen wir es manchmal zu vergessen und erfahren dann eine Menge unnötige Enttäuschung und Schmerzen. Wir fragen unseren Geliebten: "Warum bist du nicht mehr wie vor einem Jahr?" Wir machen am selben Platz wieder Ferien und jammern: "Es war nicht so wie beim ersten Mal!" Natürlich nicht! Wir kaufen Brot und stöhnen: "Es ist acht Pfennig teurer geworden." Natürlich ist es das.

Die Dinge verändern sich. Das Leben ist dynamisch. Deshalb ist es auch so schön und unvorhersehbar. Die Veränderungen regen uns zum Handeln an.

Des Pudels Kern

Die Buddhisten sagen: "... alles Leiden der Menschheit entsteht durch das Verhaftetsein an frühere Existenzbedingungen." Wenn wir nicht länger erwarten, daß die Zukunft eine Fortsetzung der Vergangenheit ist, verschaffen wir uns damit mehr Seelenfrieden.

Freisetzen

Da sich die Dinge ständig verändern, brauchen wir eine gesunde Einstellung, wenn es um das Loslassen von Altem und das Aufnehmen von Neuem geht. Ein Ding wird immer durch ein anderes ersetzt. Wenn wir das Alte und Unnötige loslassen, schaffen wir ein Vakuum und ziehen neue, spannende Dinge an.

Wenn wir uns an das Alte und Überholte klammern, schaffen wir Blockierungen und Stagnation. Das gilt für alte Gewohnheiten, alte Kleider, Gerümpel im Schrank, auf dem Dachboden, in der Garage und so weiter.

Wir müssen bereit sein, die Dinge loszulassen. Wenn Sie einen geliebten Menschen innerlich nie loslassen, kommt kein anderer daher, der diesen ersetzen könnte. In dem Augenblick, in dem Sie diesen Menschen tatsächlich loslassen und freisetzen und sich nach neuen Möglichkeiten umschauen, werden Sie eine neue Beziehung finden.

Unser Körper kann uns über den Wert des Ausscheidens viel lehren. Er verfügt über nicht weniger als sechs Ausscheidungsmöglichkeiten für unerwünschte Stoffe, von der Haut als Ganzem einmal abgesehen. Wenn unser Körper nie etwas ausschiede, wären wir ein Katastrophengebiet! Vom gleichen Standpunkt aus gesehen müssen wir auch geistig ausscheiden.

Des Pudels Kern

Wenn Sie mit dem Lauf der Dinge gehen wollen, lassen Sie all das Zeug los, das Sie nicht wollen, nicht benutzen, nicht brauchen. Das tut Ihnen nicht nur bemerkenswert gut, sondern Sie werden auch feststellen, daß Sie dadurch plötzlich wie ein Magnet Neues anziehen.

Wieviel verstehen wir wirklich?

"Wenn du glaubst, alles zu verstehen, was sich ereignet, bist du hoffnungslos verwirrt."

Walter Mondale

Wie läßt sich logisch erklären, daß wir in unserem Leben das anziehen, was uns gedanklich beschäftigt? Wie ziehen wir an, was wir fürchten? Wo befindet sich eigentlich das Unterbewußtsein, und wie läßt sich sein Wirken erklären? Wenn ich an Gesundheit denke und mir meinen Körper gesund vorstelle, wie bewirkt das einen Unterschied? Wie kann man das Gesetz vom Säen und Ernten erklären? Warum sollen meine Gedanken meinen Wohlstand beeinflussen?

Bis jetzt haben wir diese und zahlreiche andere Prinzipien angesprochen. Ihr Vorhandensein akzeptieren und ihre Funktion verstehen ist zweierlei. Wie sie genau funktionieren wissen wir wirklich nicht! Die Wissenschaft erklärt es nicht. Die Wissenschaft erklärt tatsächlich gar nicht viel!

Die Wissenschaft beschreibt, was geschieht, und benennt Dinge. In der Schule lernen wir, Dinge zu benennen, und wenn wir nicht aufpassen, verfallen wir der Selbsttäuschung zu denken, wir wüßten tatsächlich, was sich auf diesem Planeten ereignet. Wir haben Namen wie "Instinkt", "Magnetismus", "Schwerkraft" und "Photosynthese", mit denen wir die Phänomene beschreiben, verstehen jedoch diese Dinge im Grunde genommen nicht. Hervorragende Wissenschaftler und erleuchtete Wissenschaftler haben das schon immer bereitwillig zugegeben. Einstein sagte: "Je mehr ich weiß, desto mehr erkenne ich, daß ich nichts weiß."

Sie arbeiten schon Ihr ganzes Leben lang mit Prinzipien und Phänomenen, die Sie nicht verstehen! Sie haben wirklich keine Ahnung, wie Ihr Verdauungsapparat funktioniert. Wissen Sie, wie man Bratkartoffeln verdaut? Nein! Sie essen sie nur. Ihr Inneres kümmert sich um den Rest. Was hält Sie davon ab, nachts im Schlaf in Ihren Kissen zu ersticken? Wie bringt Ihr Bewußtsein es fertig, Sie aufzuwecken, wenn Sie schlafen? Wie gelingt es Ihnen, die richtigen Zellen wieder zusammenwachsen zu lassen, wenn Sie sich geschnitten haben? Wann ist es an der Zeit, den Schorf zu bilden, und wann sollte er abfallen? Das alles geschieht einfach so - wie durch Zauberei! Heilt Ihr angeschlagener Ellbogen schneller, wenn Sie über die Histologie und Hämoglobin "Bescheid wissen"? Nein!

Tatsächlich arbeiten alle diese Dinge schon seit dem Augenblick für uns, an dem wir als kleine, aufnahmebereite "Wonneproppen" auf die Welt kamen. Ist das nicht wunderbar?

Rational und logisch sein hilft uns häufig auch nicht zu besserem Verständnis. Das mag zwar oberflächlich so erscheinen, aber auf einer tieferen Ebene nützen logische Erkärungen nichts mehr. Die Wissenschaft sagt uns, daß sich das Universum mit Lichtgeschwindigkeit ausdehnt. Nun, nehmen wir an, dem sei tatsächlich so. Wohinein dehnt es sich denn dann aus? In Raum, der vorher noch nicht vorhanden war, oder in Raum, den es bereits gibt? Wie logisch ist das eine oder das andere? Und ob es sich nun ausdehnt oder nicht, was ist denn am Rand des Universums? Ein Zaun? Wie weiß man, daß man das Ende des Universums erreicht hat?

Wir können noch nicht einmal hoffen, all die Dinge, die um uns und in uns geschehen, auch nur annähernd zu verstehen! Wir können es nicht logisch erklären. Die meisten Menschen stimmen in diesem Punkt gerne mit mir überein. Wenn ich manche Menschen jedoch darauf hinweise, daß ihr Geist ein Magnet ist und daß sie je nach der Art ihres positiven oder negativen Denkens gute oder schlechte Umstände anziehen, sagen sie: "Das ist unlogisch. Erklären Sie das."

Es läßt sich nicht erklären!

Manchen Menschen fällt es schwer zu glauben, daß das Schaffen gesunder Vorstellungsbilder im Geist einen Einfluß auf den Heilungsprozeß im Körper hat. Sie sagen häufig: "Aber wie mache ich das denn? Ich verstehe ja noch nicht einmal, wie mein Körper funktioniert. Ich bin doch kein Arzt!" Sie brauchen auch kein Arzt zu sein, um auf die Toilette zu gehen! Ist es nicht wunderbar, wie die Dinge gemacht sind?

Anderen fällt es ähnlich schwer zu glauben, daß geistiges Training die tatsächliche Leistung verbessert. Während sie um das Verständnis dieses Prinzips ringen, machen andere einfach davon Gebrauch und erzielen die gewünschten Ergebnisse.

Des Pudels Kern

Wenn Sie beschließen, daß Sie alles verstehen müssen, bevor Sie davon Gebrauch machen, kann es sein, Sie müssen sehr lange warten - sogar auf die nächste Mahlzeit! Unser Geist ist ein Wunder. Seine Fähigkeit, alles um uns her zu nutzen und Erfolge zu erzielen, liegt wahrlich jenseits jeglichen Verständnisses.

Die Frage, wo unser Geist beginnt und Gott endet oder wo Gott beginnt und unser Geist endet oder ob unser Geist wirklich ..., läßt viel Raum für hitzige Debatten und Argumente. Diese Angelegenheiten reichen weit über das Thema dieses Buches hinaus.

Meiner Erfahrung nach tun wir uns einen riesigen Gefallen, wenn wir annehmen und anwenden, was wir haben. Mögen andere sich beim Versuch, das alles zu verstehen, den Kopf zerbrechen. *Wir* wollen uns daran machen, Ergebnisse zu erzielen.

Sie selbst verleihen dem Leben Wert

"Einem Menschen, dem alles gleich gültig ist, ist alles gleichgültig."
Lin Yutang

D as Leben an sich ist wertlos. Nur weil wir hier sind, heißt das noch nicht, daß unser Leben Wert hat. Letztendlich entscheiden nur wir allein, ob unser Aufenthalt auf diesem Planeten unser Privileg und unsere Freude ist oder ob wir zu Elend und Verzweiflung verdammt sind.

Wenn Fritz kurz vor dem Selbstmord steht und sagt: "Was soll das alles? Es ist der Mühe nicht wert!", dann ist das seine Realität, die er sich erschaffen hat. Und so ist sein Leben nur wenig wert.

Wir können nicht viel tun, um die Dinge für Fritz zu verändern. Wie können Sie Fritz fürs Leben begeistern, wenn er nicht vor Freude hüpfen *will*? Sie selbst lieben vielleicht lange Spaziergänge am Strand. Sie sind entzückt von diesem wunderbar kuscheligen Geschöpf, diesem Kätzchen. Der Geschmack von Avocados, die auf Ihrer Zunge zerschmelzen, mag Sie begeistern. All diese Freuden sind auch für Fritz da, aber ob er all das aufnimmt oder nicht, liegt nur an ihm allein.

Letztendlich beschließen wir, ob wir unser Bewußtsein so steuern, daß jeder Spaziergang auf dem Land, jede heiße Dusche, jeder Biß in einen Apfel, jede Unterhaltung, jede lange Fahrt, die wir unternehmen, ein neues Erlebnis ist und nicht die Wiederholung von etwas Vergangenem.

Das Leben ist nicht langweilig. Es gibt nur langweilige Menschen, die das Leben durch trübe, besudelte Brillen sehen. Viele Leute sterben mit fünfundzwanzig und werden erst mit siebzig begraben. Mir ist es ein Rätsel, warum manche Menschen überall Schönheit und Wunder sehen und andere davon unberührt bleiben.

Des Pudels Kern

Wieviel Schönes und Wunderbares Sie auch immer bis jetzt genossen haben, Sie können von heute an noch mehr davon haben. Sie haben täglich die Wahl.

Kapitel 6

Das Heute ist wichtig

So fangen Sie an

So fangen Sie an

"Ein Baum, der so dick ist, daß du ihn gerade noch umfassen kannst, stammt aus einem kleinen Samenkorn; eine Reise von tausend Meilen beginnt mit einem kleinen Schritt."

Laotse

S ie befinden sich an dem Punkt, an den Ihre Gedanken und Handlungen der vergangenen Jahre Sie gebracht haben. Was Sie in den nächsten zehn oder zwanzig Jahren erleben, wird von dem beeinflußt, was Sie heute tun. Ihre Freunde, Ihre Familie, Ihre Arbeit, Ihr Kontostand, wo Sie wohnen – all diese Dinge werden durch das, was Sie zu tun beschließen, geformt.

Das Leben ist ein Bauunternehmen. Was Sie heute tun, beeinflußt das, was Sie morgen haben werden. Das Leben spielt sich nicht in wasserdichten Vierundzwanzig-Stunden-Behältern ab. Die Mühe von heute schafft die Ergebnisse von morgen. Ob Sie eine schlechte Angewohnheit ablegen, eine Stunde mit Ihrer Familie verbringen, sich Ziele setzen, Geld sparen oder ausgeben, ob Sie Ihren Körper trainieren oder Ihren Geist weiten – Ihre Entscheidung bewirkt einen Unterschied.

Die Unwissenden sehen es nie. Die Klugen wissen es. Was wir *heute* tun, *ist wirklich wichtig.*

Eine Zeitlang können Sie locker und nachlässig sein, früher oder später holen die Dinge Sie jedoch ein. Wenn Sie Ihre Rechnungen nicht bezahlen, Ihre Arbeit nicht erledigen und Ihre Probleme anderen überlassen, geht das einen Monat lang oder eine Zeitlang schon gut. Eines Tages fällt Ihnen dann aber die Decke auf den Kopf, und Sie fragen sich, warum Ihre Arbeit freudlos, Ihr Konto leer und niemand mehr freundlich zu Ihnen ist. Das Leben erinnert Sie daran, daß sich ein Häufungs- und Stauungseffekt einstellt, wenn Sie die Tage einfach nur aneinanderreihen.

Des Pudels Kern

Der Ausgangspunkt liegt genau da, wo Sie sich gerade befinden. Die Mühe, die Sie sich heute geben, bewirkt einen Unterschied.

Literaturverzeichnis

Allen, James: *As a Man Thinketh*, Marina del Ray/Ca. o. J. (DeVorss & Company)

Bristol, Claude M.: *The Magic of Believing*, New York 1948 (Pocket Books); dt.: *Entdecke deine mentalen Kräfte. Wirksame Techniken, um Ziele zu erreichen*, München 1989 (Peter Erd)

Buscaglia, Leo F.: *Loving, Living and Learning*, New York 1982 (Fawcett Columbine); dt.: *Leben – lieben – lernen. Brücken bauen – nicht Barrieren*, München 1991 (Goldmann)

Cousins, Norman: *The Anatomy of an Illness*, New York 1979 (W. W. Norton)

Dyer, Wayne: *Gifts From Eykis*, New York 1983 (Pocket Books); dt.: *Geschenke von Eykis. Plädoyer für eine menschengerechte Erziehung, Medizin, Religion, Politik und Wirtschaft*, Mannheim 1988 (PAL/SVA)

Gawain, Shakti: *Creative Visualisation*, New York 1978 (Bantam Books); dt.: *Stell dir vor. Kreativ visualisieren*, 5. Aufl. Basel 1991 (Sphinx)

Harrison, John: *Love Your Disease*, London 1984 (Angus and Robertson); dt.: *Liebe deine Krankheit – sie hält dich gesund*, München 1988 (Hugendubel)

Hill, Napoleon: *Think and Grow Rich*, Hollywood 1937 (Wilshire Book Company); dt.: *Denke nach und werde reich. Die Erfolgsgesetze und ihre Nutzanwendung*, 22. Aufl. München/Genf 1992 (Ariston)

Hoff, Benjamin: *The Tao of Pooh*, London 1982 (Methuen Children's Books Ltd.); dt.: *Tao Te Puh. Das Buch vom Tao und von Puh dem Bären*, Essen 1994 (Synthesis)

Laut, Phil: *Money is my Friend*, Hollywood 1978 (Trinity Publications); dt.: *Geld ist mein Freund. Die vier Gesetze des Reichtums*, München 1991 (Goldmann)

Maltz, Maxwell: *Psycho-Cybernetics*, New York 1960 (Pocket Books); dt.: *Erfolg kommt nicht von ungefähr. Durch Psychokybernetik positiv denken und handeln*, Düsseldorf 1990 (Econ)

Murphy, Joseph: *The Power of Your Subconscious Mind*, New Jersey 1963 (Prentice Hall); dt.: *Die Macht des Unterbewußtseins*, 47. Aufl. München/Genf 1992 (Ariston)

Orr, Leonard/Ray, Sondra: *Rebirthing in the New Age*, Berkley/Ca. 1977 (Celestial Arts)

Oyle, Irving: *The Healing Mind*, Millbrae/Ca. 1975 (Celestial Arts)

Ray, Sondra: *Loving Relationships*, Berkley/Ca. 1980 (Celestial Arts); dt.: *Auch Lieben will gelernt sein*, München 1991 (Peter Erd)

Schinn, Florence Scovell: *The Game of Life and How to Play It*, Marina del Rey/Ca. 1925 (DeVorss & Company)

Waitley, Denis: *The Psychology of Winning*, Chicago 1979 (Nightingale-Conant Corp.)

Doc Childre:

Die Herzintelligenz entdecken

Das Sofortprogramm in fünf Schritten

Reihe: HeartMath - HerzIntelligenz

194 Seiten. ISBN 3-932098-49-8

Stress - auch der so genannte negative Stress - gehört zum modernen Alltag. Die Auswirkungen für Herz und Gemüt sind enorm. Der Autor Childre hat eine Intelligenz entdeckt, die Soforthilfe ermöglicht: die Herzintelligenz.

Möglicherweise gehören auch Sie zu den Menschen, denen nach der Lektüre von *Die Herzintelligenz entdecken. Das Sofortprogramm in fünf Schritten* ein Stein vom Herzen fällt.

Joseph O'Connor, John Seymour:

Neurolinguistisches Programmieren: Gelungene Kommunikation und persönliche Entfaltung

369 Seiten. ISBN 3-924077-66-5

Dieses Buch ist eine gelungene Gesamtdarstellung des NLP. Es beschreibt alle wichtigen Grundlagen, Methoden und Instrumente. Der systematische Aufbau, die leicht verständliche, humorvolle Sprache und viele praktische Beispiele machen es zur Standardlektüre für NLP-Interessierte. Es bietet neue Perspektiven für den privaten und beruflichen Umgang mit Menschen und für die Weiterentwicklung des eigenen Potentials.

Das **IAK Institut für Angewandte Kinesiologie GmbH, Freiburg,** veranstaltet laufend Kurse in *Edu-Kinestetik, Brain-Gym®, Touch For Health* (Gesund durch Berühren), *Applied Physiology, PKP* und in vielen anderen Bereichen der Angewandten Kinesiologie. Dank enger persönlicher Kontakte zu den Pionieren der AK ist das Institut in der Lage, ständig die neuesten Entwicklungen auf diesem Gebiet zu präsentieren.
Außerdem fördert das Institut die Verbreitung der Angewandten Kinesiologie im deutschsprachigen Raum durch Literaturempfehlungen und Adressenvermittlung.
Wer an der Arbeit des Instituts interessiert ist, kann kostenlose Unterlagen anfordern bei (bitte mit 1,44 € frankierten Rückumschlag beilegen):

IAK Institut für Angewandte Kinesiologie GmbH, Freiburg

Eschbachstraße 5, 79199 Kirchzarten, Telefon 0 76 61-98 71-0, Telefax 0 76 61-98 71-49

Andrew Matthews:

Tu, was dir am Herzen liegt

142 Seiten. ISBN 3-932098-39-0

Dieses Buch zeigt exemplarisch, wie Menschen denken und handeln, die Freude am Leben haben und erfolgreich sind. Es vermittelt mit Witz und Humor, wie man ...

- dahin kommt, eine Arbeit zu tun, die man gerne macht
- sich selbst und die anderen lieben, das heißt akzeptieren lernt
- sein inneres Gleichgewicht findet
- sein Leben meistert, indem man die Verantwortung dafür übernimmt.

Andrew Matthews:

So machst du dir Freunde

146 Seiten ISBN 3-924077-35-5

Einfach, praktisch und sehr witzig behandelt dieses Buch unseren Umgang mit den anderen: mit denen, die wir lieben, die wir gerne kennen lernen möchten, die uns helfen oder die von uns abhängen, und mit denjenigen, denen wir lieber aus dem Weg gehen. Es zeigt auch, wie es uns auf angemessene Weise gelingt, manchmal nein zu sagen, Kritik zu üben und Kritik anzunehmen. Es macht deutlich, dass man zuerst selbst ein Freund sein muss, wenn man Freunde gewinnen will.

Joseph O'Connor:

Heute ist mein Tag!
Außergewöhnliche Lösungen
für alltägliche Probleme
108 Seiten. ISBN 3-932098-71-4

Es geht auch anders! Wie das im Alltag zu machen ist, vermittelt Joseph O'Connor. Unterhaltsam und prägnant sein Stil – außergewöhnlich die Wirkung. Für alle, die ihren Alltag neu genießen wollen.